田上穣治著

西ドイツの憲法裁判

有斐閣出版サービス刊

はしがき

十九世紀ドイツの君主制の下で、君主の統治と国民の基本権の関係は次第に封建体制から近代国家に発展して来たが、そこではイェリネック、アンシュッツ等による法律の優勝性と法律の留保を中心とする憲法学説が確立された。世界大戦によって君主制が変り、ワイマール期の小党分立によって立法権が信頼を失い、国民の統合は疑われるに至ったが、第二次大戦後のボン憲法によって新たに連邦憲法裁判所が設立され、ここに憲法の支柱として基本権の尊重が明確になった。かっての法律の優勝性に代って、連邦憲法裁判所の判決は法律の効力を有し、またプロイセン高等行政裁判所の判例による伝統的な法治国の原理は、いまや法律の効力を有する連邦憲法裁判所の裁判によって新たな公法理論を展開しようとしている。これに対して民主制の論理は敗戦により未だ確立の途上にあり、戦う民主々義の標語が憲法によって確認されたのに対し、基本権の確立は憲法異議の判例によって、新たにボン憲法の脚光を浴びるに至った。

私はこの裁判所による新たな憲法の行方に大きな期待をもっている。

本書の出版については、袖山貴君の格別の援助を受けたことに謝意を表する。

昭和六十二年一月

田上穣治

目　次

一　総　論

国家は人類の作っている永続的な団体であり、多数の者が長い期間団結するということには特別な価値を認める必要がある。同時にある種の法的な正義に基づいた力によって解決する必要がある。それ故憲法の規定は国政の拠るべき価値を明確にしているのであって、その点で国家もまた体制を固めて、その憲法的な最高の価値を保障する必要がある。国民個人の理性に最高の価値を認める人権の保障は、司法権によって保障される憲法の論理であるが、国民の総意の表示に最高の価値を認める民主制の論理では、国会の議決による立法権に主権を認める。そこで通常の司法権よりさらに権威ある憲法裁判所を設立し、これによりその価値についての疑義を無くし、その優先順位を考える必要がある。

西ドイツの憲法裁判所法の歴史については、一九四八年八月二三日までの二週間、バイエルンのヘルレンヒム湖の憲法準備委員会の時期に遡ることができる。特にすべての裁判所および政府機関が憲法裁判所の裁判に拘束され、また法規を無効とする裁判は、法律の効力を有し、さらに憲法裁判所の判事の任命は、同数を連邦議会と連邦参議院で行う等の案が伝えられ、憲法裁判所の裁判官の半数は少なくとも判事の資格をもつことが必要とされた。

二　西ドイツ連邦憲法裁判所の組織

連邦憲法裁判所（以下連憲裁と略す）は一部と二部に分かれ、その各一二名の裁判官がこれに選出される。すべてこの裁判所の裁判官は、四〇歳を超えた一般の裁判官の中から、裁判官の資格ある者、または国家試験によって上級の行政職の資格ある者で、公法における特別な知識によって卓越し、公的生活を経験した者であることを要し、連邦議会、連邦参議院、連邦政府または州のこれらに相当する機関の職を兼ねることができず、ただドイツの大学における法学の教授の場合はこの限りではない（連憲裁法三条）。裁判官の任命は、各部で三名ずつの裁判官を上級連邦裁判所の任期中の者から選出する。連邦議会および連邦参議院において前記各三名を含む計二四名の半数を選出する。この場合に連邦参議院においては、議員定数の三分の二以上の得票によって選挙し、連邦議会においては一二名の選挙委員を選出する。この選挙委員はドント式比例代表法によって選び、その委員会において裁判官を選出するには、九票以上の得票をもって当選を決定する（連憲裁法六条）。当選した者の構成する裁判所は三権に優越して憲法裁判に適する憲法上の地位をもつことになり、これが憲法裁判所の権能を行使することになる。

合衆国においては、憲法秩序の保護者としての裁判制度は、ドイツの憲法裁判所と異なり規定がなく、一七八七年の合衆国憲法三条二項には、州と州の間、または州と州の人民との間における訴訟はあるが、国の憲法機関について司法権を認めておらず、立法および行政の違憲の措置については、国民は二次的または先決的裁判によって通常の民事または刑事訴訟において保護されるが、司法権と区別した憲法裁判制度は、一九四九年のドイツ憲法に関する基本的な決定によっても採用されなかった。一九四九年の司法権優越の争いには、最高裁のヒューズ裁判長が、アメリカ人の自由と財産を保護するものは、憲法よりもむしろ裁判所の判決であるといっている。

次に一八七四年のスイス連邦憲法においても、独立の憲法裁判所を認めていない。スイスの連邦裁判所は最高の民事・刑事の裁判所であるが、そのほかに憲法一一三条において州と州の争いの裁判と、憲法異議の事件を裁判する。一九四三年には、裁判所に特別な国家および行政法上の部を設けて（一二条一項）、連邦機関と州の機関との間の権限争議のほか、州の命令または処分により国民の憲法上の権利が侵害された場合の異議申立、州の間の協定によって憲法上の権利が侵害された場合の異議申立等について裁判するが、連邦議会の制定する法律および連邦議会の承認した条約は、連邦裁判所を拘束する。

オーストリーの場合には、独立の憲法裁判制度は、連邦憲法機関を含まない憲法訴訟を既に六十余年前から同じ原則によって認めている。けれどもこれは連邦の州相互間、または連邦と州の間の訴訟について権限争議を裁判するものであって、その他には、連邦大統領の選挙の取消の訴え、下院または上院の選挙取消の訴え、州議会の選挙取消の訴え、およびこれらの議員の当選無効の訴え、国民投票の結果の取消の訴え等を裁判し、さらに行政庁の裁判または処分について異議申立の終審としての裁判、異議申立人の憲法上の権利を侵害されたとする裁判(憲法一四四条)等が認められる。

これをわが国の最高裁判所の構成と比較すると、一五名の判事のうち五名は裁判官の法定資格の無い者を当てることができるが、これは司法権の独善を防止するものと考えられる(憲法七九条、裁判所法四一条)。けれども内閣に選択の自由があることは米国の大統領と同様であって、この意味では政府に対し裁判所の中立性を維持できるかについて問題がある。戦後わが国最初の最高裁判所裁判官は、内閣の諮問機関にはかって任命されたが、この制度は憲法に保障された内閣の権限を制限し、かつ内閣の責任を不明確にする虞れがあるという理由で廃止された。また最高裁判所裁判官の任命は、判事・検事から五名、弁護士から五名、学識経験者から五名の比率による例であるが、これは裁判官の独立の地位を保障するよりも、むしろその素質を固定して司法権を弾力的に運営することができない虞れがあるとする見解もある。さらにわが国の最高裁判所は民事または刑事の上告審であるから、もっぱら憲法の運用にあたる憲法裁判所ではなく、現行の定員一五名では違憲審査の能率的な処理を欠く虞れがある。アメリカの連邦裁判所は、大統領の任命権により政府に牽制されることが問題となるが、わが国においてもこの疑いが無しとしない。西ドイツにおいては憲法裁判所の裁判官の人事が政府から独立であり、国会または連邦参議院は合議制であるから、比較的に裁判官の地位の独立が害されない。その結果、わが国における統治行為の合憲性の審査と異なり、高度の政治性ある裁量の場合も当然には憲法裁判所の違憲審査を妨げない。ドイツ・フランスの統治行為論は、歴史的には行政裁判所の合憲性の審査に服する行政処分でないために、日本におけるような衆議院の解散、または日米安保条約の合憲性について司法審査が否定されるのであるが、合衆国においては高度の政治問題としてこれらの審査を司法権の範囲外に置くのではなく、政治手続と司法手続の区別から国会の判断を優越せしめるものである。これに対してわが国では、憲法の論理により判断すべき司法審査が、民主制の論理により判断すべき政治部門の処理と異なるためであって、国会および政府の判断を優先させることによる。けれども西ドイツの憲法裁判所にあっては、政治問題の審査が当然には裁判所の審査に適しないといえず、ただ政治問題であっても憲法の論理によって審査すべき場合は、憲法裁判所が処理することを認めるのである。例えば百里基地の自衛隊の訴訟(昭和五二年二月一七日水戸地裁判決)において、自衛隊の増強により戦力として合憲性が認められないか否かの問題については、統治行為として司法審査が及ばなかったが、法理上自衛権の範囲内であるか否かは司法審査が認められるとする見解は、政治問題と法律問題を区別する西ドイツの司法審査の法理である。憲法訴訟においては、立法権の行使についてその自由裁量と、法規の執行に当る法規裁量の場合が区別せられ、憲法裁判所は法規の解釈において立法権の裁量の適否を審査する権能があると解されるが、政治裁量はこの意味で憲法裁判所の統制に服する。

三　憲法訴訟と規範統制

いずれも憲法の侵害の有無を審査することにおいて広い意味の憲法訴訟であるが、規範統制の場合は客観的に法規の憲法適合性を判断するもので、実質的に訴訟の当事者となるべき相手方が存在せず、ただ憲法規範との適合性について判断するもので、法律関係の両当事者間の争いはない。これに対して本来の憲法訴訟は、憲法機関相互の権限の行使に関する適否に対して判断するものであって、一種の機関訴訟であり、憲法機関の権限の行使についての争訟である。わが国では、機関訴訟は原則として権利義務の争いでは成立しないから、裁判所法三条の法律上の争訟に属せず、権限の適否についての判断を求めるものであって、実質上の争訟ではない。けれども本来の憲法訴訟は憲法機関の権限の行使を争うものであって、これが原則である。このことは憲法裁判所の判決の効力について重大な差異がある。司法判決の効力については、主観的または客観的に同一事物の範囲内で実質的確定力が生ずるが、機関訴訟にあっては、同じ権限の行使であればその対象が異なる場合にも合憲または違憲の区別が生ずるもので、判決の確定力は異なる当事者または事物の間にも拡張されることになる。これは立法が不特定多数の場合に等しく適用され、この意味で一般的拘束力があるから、将来の同種類の行為についても司法審査の効力を認めなければならないが、憲法訴訟はこのような法規の効力を決定するものであるから、将来反復される同種類の法規の効力についても、その効力を決定する必要があることに特色がある。

規範統制という言葉は、憲法上戦後のワイマール時代の文献に表われ、法律の抵触または法律の監督とも云われていた。これは他の規範によって一つの規範が有効であるか否かを審査することをいい、裁判官が憲法に基づく正式の法律を憲法違反と考えたとき、連邦憲法一〇〇条一項により手続を停止し、連憲裁の裁判を求めることである。連憲裁法は適用法規が連邦憲法その他と一致しない場合には、単純に違法とするに止まらず、連憲裁法七八条が無効としているから、連憲裁法三一条二項によってこの無効判決が法律の効力を有する裁判と認められ、これは一つの規範が他の規範により有効であるか否かを審査することをいうのである。連憲裁法三一条では、憲法裁判所の判決は連邦および各州の憲法機関ならびにすべての裁判所および官庁を拘束するものとし、また同判決は権利義務を定める法律の効力を有するとしている（Maunz, Schmidt-Bleibtreu, Klein, Ulsamer, Bundesverfassungsgerichtsgesetz, 1979, Art. 31, S. 1—31)。前段では機関訴訟としての憲法裁判の特色であり、後段は憲法裁判所の判決が権利義務を定める法律の効力あることを認める。機関訴訟の特色は上述の如く憲法機関の権限に基づき関係機関を法的に拘束することであって、権限は同じ権利主体の機関である限り、すべての機関の権限行使に拘束力をもつからである。後段は法規が憲法に適合するか否かの裁判が、特定の具体的事件の関係者に止まらず、一般的に法規の効力が認められ、その定める権利義務が発生するからである。これに対してわが憲法上は、裁判所の違憲の判断は下級審の裁判と同じく最高裁判所の場合にも、その具体的事件に関して適用されないのに止まり、その他の事件に関しては、終局判決の理由において示される具体的事件の解決に限られ、かつその訴訟当事者の範囲に止まるべきこと、すなわち司法権の判断としての効果をもつからである。ただわが憲法八一条で最高裁判所の法令を違憲とする判断は終審であって、あたかも西ドイツの憲法裁判所の判断のようにその事件に限らず、むしろ法規の如く一般的に将来の事件についても効力を失効せしめる効果をもつと解する説がある。けれども最高裁判所もまた司法権の立場で裁判する以上は、特定の具体的事件の解決に当って効力を生ずるものとしなければ、最高裁判所が立法権を侵すことになり、また訴えのある偶然の機会によって法令の効力を消滅させることは、法的安全を侵すことになるからである。けれどもわが憲法八一条のほか九八条において、最高法規としての憲法に違反する法令が当然に効力を失うものとすることにより一般的効力を認め、またわが憲法上抽象的一般的に最高法規に違反する法令と認定する権限は、最高裁判所によるほかは不可能とみられるから、八一条の違憲の判断に明文上一般的効力があるようにみえる。けれどもこの解釈は十分な根拠がなく、またわが憲法九八条に効力を失うとあることも、司法権の判断に広く一般的な効力を認める根拠としては不十分である。例えば議員定数の不均衡による違憲の判断は、当該選挙の無効を意味しないとある等である。わが最高裁判所に憲法裁判所の性格を認める根拠がない以上は、違憲の判決に個別的効力説をとるほかはない。このように最高裁判所の憲法違反とする判断に個別的効力説が認められるとすれば、憲法九八条の規定による違憲の法令は、具体的事件の範囲においてのみ不適用となり、内閣が法律を違憲として失効させることは西ドイツでは、連憲裁法七六条一号に反するからである。

1　連邦憲法裁判所の判決の拘束力と法律的効力 (Verbindlichkeit der Entscheidungen)（連憲裁法三一条）

連憲裁の判決は、連邦および州の憲法機関ならびにすべての裁判所および官庁を拘束する。また連憲裁法の一三条六号一一号一二号および一四号の場合には、一般の人民に対する法規の合憲性を対象とするから、法律的効力[註(一)] (Gesetzeskraft) が認められる（連憲裁法三一条）。この連憲裁法三一条の規定は、裁判の拘束力と法律の効力との関係で、解釈上説が分かれる。裁判の拘束力は、関係機関を法律的に義務づけることであるが、それが作為・不作為または給付・受忍などの義務を課するに止まるのか、あるいは法律上の禁止または新たな法律関係を形成するものであるかは明らかでない。わが行政事件訴訟法三三条では、処分などを取消す判決は、その事件について当事者たる行政庁その他の関係行政庁を拘束するとあって、この場合は最も広い意味で義務づけることであるが、連憲裁法の解釈に妥当するか否かは明らかでない。国家は主権があり、主権は自主組織権の意味に解される。いいかえれば、国家意思は最高絶対なものであって、少なくとも国家の組織を決定するについては絶対の自由を有し、国内または国外から何らの制限も受けることを認めない。三権についても、その内容および範囲については、憲法により自主的に決定できる（私の『日本国憲法』一七頁以下）。ある立法または裁判によって行政または司法の決定権が拘束されることは、関係機関がこれを承認した場合に限られる。憲法裁判所の裁判もまた、三権いずれについても当然に法によって拘束力をもつことはあり得ず、この意味で憲法裁判所の裁判に他の機関に対する一般的拘束力を認めることはできず、連憲裁法のほか憲法によって直接規定することも、国の主権を侵すものである。

行政権および司法権は、憲法上の機関から多くの下位機関に権限を分けて委任しており、各裁判所は権限の独立をもち、上級裁判所の指揮・監督を受けないのに反して、行政機関は上級・下級の区別があり、機関監督によって行政組織の一体性を確保する。このことは主権の最高性から当然である。合議機関の場合は、権限の独立があり、一体性の確保が保障されないが、行政組織全体としては、最高機関、例えば内閣がその基本方針に従って統制できるのであり（内閣法六条、憲法七二条）、裁判所は判例により司法部の意思統一を図ることが認められる（憲法七六条）。憲法裁判所が行政および司法の機関に対して一般的拘束力をもつ裁判を容認することは、憲法上例外であり、特別な理由を必要とする。また連憲裁の裁判が法律の効力を有することは、法律が全国民を代表して立法に参加する民主政治の原則により、国民の基本的な権利または自由は、本人の同意なくしては侵すことができない自由主義・民主主義の原則である。したがって国の行政権または司法権であっても、上級機関の指揮・監督を受けることなく、法律に基づかなければ関係国民を拘束することができない。要するに判決の一般的効力は政府と人民との対立を前提とし、人民の自由または権利を侵害するには予め国会の議決する法律によらなければ、憲法の保障する基本権の制度に反するからである。連憲裁の裁判には、一般的拘束力と法律の確定力（法律に効力とあるのを確定力の意味にとる）があるが、これは他の国では認められないことである。それは前者が国家の主権に反するからであり、後者は立憲的な自由主義・民主主義に反するからである。しかしながら裁判が関係者の権利保護に影響する場合、例えば国庫の法理が認められる特別権力関係においては、一般的拘束力が法律の効力に伴わないことがある。けれども民主的な法理によれば、裁判ではなく国会の議決する法律の根拠がなければ人権の侵害は許されないものであり、また、一般的拘束力も、司法権の独立または合議の行政機関の権限の行使にまで当然認められる必要なく、この意味で連憲裁法三一条は、特別な憲法上の理由がなければならない。連憲裁は、連邦憲法九三条一項において最高の連邦機関であり、今日の西ドイツが国際的に東西両陣営の中間に位置し、また世界大戦においても重大な危機に遭い、敗戦の深刻な体験からも民主主義の矛盾を克服する必要があり、このため憲法の相対主義から連邦憲法裁判所に絶対の権威を認める必要が看取されるのである。連邦憲法裁判所に一種の主権を認めたものといえる。これらの裁判の効力は、司法裁判所の判決の既判力の範囲と比較して著しい相違がある。第一に、憲法訴訟は憲法機関の機関訴訟であって、請求の主体は憲法上の権限をもつ機関であり、その権限の行使が憲法に適合するかどうかで争いとなる。したがって連憲裁の判決が、その行使した職務と同一の権限内の行為を将来において拘束することは、必ずしも同一の職務行為に限られず、むしろ同一権限内の職務行為が将来においてすべて拘束されるのであり、いいかえれば、権限の範囲内で現在の行為が、不特定多数の将来の行為につき合憲または違憲とされるのである。機関訴訟の判決と同じく、既になされた連憲裁の判決と同じ職務行為の範囲に、確定力が拡張されるのである。これを確定判決の既判力と比較すれば、現在の同一事物についての判決ではなく、ただ同一の権限の効果の及ぶ不特定多数の関係者にまで、判決の効力が及ぶことである[註(二)] (Maunz usw., a. a. O., Art. 31, S. 17)。憲法機関の権限の行使による作為、不作為または直接訴訟に関係ない一般の機関に対しても拘束力が拡張されるのであって、これは憲法訴訟が国家生活の安定と法の平和を実現するために将来同じ問題について紛争を不可能ならしめるためであり、具体的な争いの裁判を繰り返し行わせないための確定判決の実質的確定力とは異なる。いいかえれば憲法訴訟では対象が判決主文において特定されず、また過去において完結した具体的事実ではなく、むしろ将来に影響する法律事実に重要な意味をもつからである。権限の行使において同一性はあるが、判決の対象になる権利主体には同一性がない。拘束力の限界は判決の理由において、例えば権限行使の内容が連邦憲法と矛盾すること、または権限が欠けていること等によって無効が明らかになるからである。判決の主文は関係者の申立に対応する個別的特殊的なものではなく、典型的な事件の裁判が多いので、原則的問題を裁判するからである。過去における権利侵害に対して、その権利の実現を強要することよりも、将来における権利の保障と法的平和の確保が目的となる。

連憲裁法により立法者は法律の無効を宣言して、同じ内容の連邦法律を再び制定することはできないとする。連憲裁の判決は、抽象的もしくは具体的な規範統制を行なうが、連憲裁の手続の対象にはならなかった。連憲裁の裁判は最早取消すことができない最高の裁判所の裁判として、形式的な法律の効力が直ちに認められる。その実質的な法律の効力もまた争いのないところである。対審的な訴訟物として、また刑事法的な手続における裁判として、当事者間に具体的な法律の実情に関して憲法規範を適用するのみならず、抽象的な規範の裁判においても、その判決の内容によって客観的な法が存在するか否か、有効か無効かについてのみ、その規範の裁判が効力をもつ。一般的には判決の効力が裁判の主文に、いいかえれば直接判決文に含まれた法律的な内容に制限される。そして判決文の意味を伝えるために用いられる限りにおいて、理由を含むことが認められる。

註(一)　連邦憲法は九三条一項二号で法律が連邦憲法に違反する場合に、裁判の形式(主文)においてその旨を宣言する。連憲裁法七八条には抽象的規範統制と具体的規範統制の区別をしていないが、法律が連邦憲法に違反する場合は、その無効を連憲裁が宣言するものとしている(連憲裁法七八条)。直接には連憲裁法七六条の抽象的規範統制に関する規定であるが、具体的規範統制についても同様な無効の宣言は規定がなく、これは伝統的な法理であると解する。

現行の法規を廃止するのは、憲法裁判所に法令廃止の独占権を集中していることから当然である。これは外国の司法権による違憲審査には考えることができない。連邦憲法九三条および七八条の無効の宣言の規定は、当然の法理である。ただそれが通常の司法権の審査により憲法違反とする場合は、立法権の侵害となるが、法律で準用する必要はない。

註(二) 憲法違反の法律を判決の主文で認めるときに当然その効力が失われることは、主文による効力であるから、テノリールング（Tenorierungsvorschrift）の規定という。これは連憲裁が憲法との不一致を確信をもって認めたときであり、この失効の効果は、法律的安全と法律的な明白性の要求によるものである。連憲裁は無効宣言と単純な憲法違反の確認を選択する自由があるのでなく、立法者の法形成の自由を侵すものではない。連憲裁の裁判が法律的効力を有するのは、一般的拘束力、いいかえれば inter omnes の関係で拘束力があることである。無効の宣言は単なる通知的行為であり、規範の将来に対する無効（ex tunc）を明らかにするに過ぎない。このような連憲裁の無効の宣言は、従来から確認的（宣言的）な効果であるか、形成

的な効果であるかが、問題となっていた。

或る法律が憲法に違反するというのは、法律を作るべき義務が存在するのに拘らず、憲法の状態に正しく適合する規範をまだ制定していない状態であり、これは立法権者の不作為の場合とみることができる（Maunz usw., a. a. O., Art. 78, S. 10～37）。

連憲裁法三一条二項は法律の効力に関する授権を規定しているが、一項の一般的拘束力を前提とし、法律の効力とは区別される。裁判官がワイマール憲法下で厳格に法律によって拘束されることは、連邦憲法では緩められたが、その結果裁判官と法律の関係は、連憲裁の裁判が正式の法律の拘束力に近付いたから、裁判官と立法者に関する見解が変った。連憲裁は立法者の行うことができる場合と、行い得ない場合との区別を宣言することができるからである。連憲裁の裁判官には、強められた拘束力のほかに確定力が認められ、註(三) 連憲裁の裁判には形式的および実質的確定力と拘束力とが併立して認められる。実質的確定力は訴訟的な効果があるが、拘束力は憲法機関、官庁、裁判所への拡張が認められ、実体法的な効果に数えられるものである。形式的確定力は、係属する手続の裁判を取消し得ない（Unanfechtbarkeit）効力であり、それは下位の裁判所が控訴する場合のみならず、連憲裁の各部の裁判もまた連合部の裁判に対して形式的確定力を有し、すべて上訴が認められないことになる。実質的確定力は、形式的に確定した裁判が係属しない事件についても、関係者を拘束する決定的基準性（Massgeblichkeit）であり、これによって法の永続性（Beständigkeit）、法の確実性（Gewissheit）と、法の安全性（Rechtssicherheit）を保障する。このことは法の権威を保障し、法治国原則の本質的な要素（連邦憲法二〇条）であり、それは法的平和（Rechtsfriede）を保障する。実質的確定力の客観的な限界は、主文に含まれる裁判の客観的要素に関するものであり、規範統制の裁判（Normenkontrollentscheidung）を含むものである。また実質的確定力すなわち既判力は裁判の時点において限界づけられ、その裁判の重要な事情が以後に変化すれば、既判力は失われる。具体的な裁判規範は判決の主文に含まれる法規の宣言であり、具体的になされた裁判のほか、同様の事件において一致する裁判を含む。

次に主観的な意味において、実質的確定力の限界は、手続の申立人、手続の相手方および参加人すなわち手続の関係者に限るのであって、手続に関係ない第三者には及ばない。裁判の主文（Urteilstenor）は拘束力の範囲の限界となるが、主文の解釈に当って裁判の拘束力が関係あるか、裁判に欠くことのできない理由が拘束力に含まれるか、ただ単純に傍論（obiter Dicta）もまた拘束力があるかは、問題であるが、裁判を支持する理由(tragende Gründe)、また思惟必然性のある前提（denknotwendig Prämisse）は、すべて拘束力を生ずるものといえる（Maunz usw., a. a. O., Art. 31, S. 1—)。

抽象的規範統制は、すべて法規が上位の法規に違反することができない形式的確定力によって、法秩序の継続性、確実性、法的安全性を維持するものであり、この保障として連憲裁の裁判は、法律の効力を有するものとしている。西ドイツは第二次大戦によって壊滅したが、ここにボン憲法の新しい秩序によって再興を志向している。この思想は実定法万能の法実証主義ではなく、伝統的なドイツ民族の団体社会に基礎を置く法秩序によるものであるが、ただこの法秩序は、連憲裁の裁判によって新たな形式を得たのである。法の支配と国会中心の民主主義とは立憲諸国の共通な姿であるが、実際には二律背反の関係にあり、これによって国の形態は異なる。西ドイツでは、憲法裁判の効力によって憲法を擁護する連憲裁により、国家統一の基礎が与えられた。これによって政治の理念が相対主義から初めて法的安全を高められ、同時に基本権による民主政治の強化を図ったのである。連憲裁の判決は法的確定力をもつのみならず、将来に向かって永続的な権威をもち、国会の立法の性質を帯びることによって相対主義の弱点を補おうとしたのである。戦う民主主義の標語の下で、基本権の保障に反する行為に対し、基本権の失効の制裁を加え、また反国家的な政党に対してこれを解散し、基本権秩序に反する裁判官または大統領を罷免するが、何れも基本権とは何か、これに反する行動は何かを連憲裁の判決をもって決定するものとしている。連憲裁は司法権と共通な体質をもつが、これが基本権の保障と同時に民主制を擁護する使命をもつことで意味がある。また自由にして民主的な基本秩序を保障するために国民の協力を求め、その抵抗権を保障し、さらに憲法異議の申立によって、何人も基本権の侵害を受けたときは、連憲裁に異議申立ができるとしている。この制度も当初は濫訴の弊を虞れて採用されなかったが、憲法改正によって、国民の抵抗権とともに憲法に追加された。

註㈢　確定力の場合には、主文の解釈に当って理由は影響を受けない。拘束力の場合は重大な理由または思惟必然的な前提とは関連するが、これらの理由または区別は明確にできない。実質的な意味の法律は一般的拘束力ある法規の制定と似ている。けれども連憲裁の裁判は立法機関により正式の立法手続によって作られるものでなく、したがって既に成立した法律を有効もしくは無効とすることはあっても、存在する法を変更することはできない。また判決の拘束力は一般国民に直接の効果を有するものではない。例えば政党、労働組合、経済団体等を拘束するものではない。

2　憲法の基本原理

憲法の基本原理は憲法改正によって変更することができない。わが憲法改正権は憲法九六条に基づく作用であるから、論理的に現行憲法を前提とするものであって、個別的な憲法の条項を動かすことができるのに止まる。殊に最高法規に関する憲法一〇章において、九八条の前に人権保障の九七条を定めていることは、人権の保障が人類普遍の原理として、憲法改正によって変えることができない意味をもつと解される。この点で憲法改正権は憲法制定を前提とし、両者は異なる次元の権力とみなければならない。わが憲法の基本原理としては、人権の保障と戦争放棄のほか、国民主権が挙げられる。西ドイツ憲法では七九条で、一条および二〇条の基本原則を改正することができないとしている。硬憲法の改正の限界となる基本原理は、裁判所は勿論、国会においても侵すことができないものであって、最高法規とみることができる。ところで西ドイツ憲法では、基本的人権が人の尊厳を保護し、すべての集団社会、平和および正義の基礎であると告白し、基本権が立法、行政および司法権を直接に拘束する法であると定めている（一条）。また二〇条は、ドイツが民主的、社会的連邦であって、主権の存する国民の選挙と投票、および三権の特別な機関によって主権が行使され、これらの権力は憲法的秩序により法律および法に拘束されるものとする。したがって憲法の自由民主的な基本秩序はすべての基礎であり、憲法の基本原理は、人権による憲法の論理と民主制の論理から成立することが示される。ウィリー・ガイガー（Willi Geiger）によれば、この原理は不可譲かつ不可侵の基本権、権力分立の原則、特に議会に対する裁判所の独立、自由・平等かつ秘密の選挙により公の秩序の形成に参加する民主制の根本であり、複数の政党の自由な政治活動に対する批判または否定は、基本権の乱用として公権剝奪、すなわち基本権の主要なものを失効させることができる（西独憲法一八条）。

四　憲法機関が提起する憲法訴訟

憲法訴訟を提起する者の適格性は、連邦大統領、連邦議会、連邦参議院、または連邦憲法四五条による委員会、連邦政府、その他憲法および議会と連邦参議院の議事規則において固有の権限を付与されたこれらの機関の一部に属し、これ以外の機関には適格性がないとしている（連憲裁法六三条）。この規定は積極的な当事者適格と権利保護の利益を定めている。合議制の憲法機関については、これを構成する委員とその構成する委員会が共に当事者適格を有する。例えば連邦政府もしくは連邦参議院は発案権をもつが、これには連邦議会の審議が必要であり、もし連邦参議院に付議しないで議会に発案される場合には、連邦議会または政府は連邦議会の発案権を妨害される虞れがあり、したがってこれらの機関の法案提出権を侵害する虞れがあることになる。憲法訴訟の当事者適格は、憲法により憲法生活において特別な権限、即ち特別な法的地位を与えられている機関にある。または、連邦機関の最高の地位と権能によってこの当事者適格をもち、憲法の範囲において連邦憲法および議事規則によって意見の相違または疑義を解決する権限を有する。連邦政府のほか、連邦法務大臣については連邦憲法九五条三項また九六条二項の規定があり、連邦大蔵大臣については連邦憲法一一二条の規定があるから、連邦政府が合議体として当事者適格を認められることと別に、これらの大臣も単純に憲法訴訟の当事者適格をもつことになる。このほか連邦国会の議員四分の一以上の少数者の団体に国会議事規則(九八条二項、一〇三条二項)の規定があり、国会議員の三〇人以上の少数者の団体も、連邦憲法三一条、四八条三項、七五条三項等の規定があって、それぞれ憲法機関としての権限をもつ場合がある。例えば、連邦憲法七六条の規定は、連邦政府、連邦国会の三分の一以上の議員等から連邦憲法九三条一項二号の規定によって、これらの申立人が連邦憲法その他の連邦法と、連邦法または州の法律が形式的もしくは実質的に一致しないことによって無効であると考えた場合、または裁判所、行政機関もしくは連邦または州の機関が、法を連邦憲法もしくはその他の連邦法と一致しないものとして適用しなかった後にこれを有効と考えた場合には、いずれも抽象的規範統制の申立をすることができるものとある。すべて連憲裁法六三条の申立は、抽象的規範統制を意味するものであって(W. Geiger, Bundesverfassungsgerichtsgesetz, S. 244)、この場合に手続を停止し、法律の効力が裁判において問題となるとき、その法律を憲法違反と考えた場合には、その訴訟について権限ある州の裁判所の判決を求めるべきである。また連邦の法律の侵害について問題になる場合には、州の憲法裁判所の判決を求めるべきものである(連邦憲法一〇〇条一項)。また州の憲法裁判所が連邦憲法の解釈と連憲裁の裁判について異なるとき、もしくは他の州の憲法裁判所の解釈について同様の場合においては、憲法裁判所は連憲裁の裁判を求めるべきである(連邦憲法一〇〇条三項)。また国際法の規定が連邦法の構成要素であるか否か、またその国際法の規定が直接に個人の権利義務を規定するかどうかは連邦憲法二五条によるものであるが、これについて疑わしい場合に裁判所は連憲裁の裁判を求めなければならない(連邦憲法一〇〇条二項)。抽象的規範統制を申立てる者は自らその裁判に参加する必要がないし、また疑問を抱く必要もない。ただ連憲裁法七六条により、この規範統制の申立は連邦政府等の特定の資格がある者に限られている。その場合に申立権者は、法律が連邦憲法を侵犯しているために無効と判断する場合は、抽象的規範統制を申立てることが認められ、またその連邦法律等が連邦憲法その他に違反しているために手続の適用をしないときに、なおこれらの法規範を有効と考える場合には、初めてこの規範統制を申立てることができるとされる(連憲裁法七六条)。連邦または州の法律が憲法に抵触していると考えられる場合には、直接に憲法裁判所に無効を主張することができるが、連邦憲法に違反しないことの確定を求め、同時に裁判所、行政機関等が連邦憲法と一致しない規定を適用しないことを求めることができるのである(連憲裁法七六条二号)。

したがって連邦憲法一〇〇条一項によれば、この規定は次の解釈に従うことになる。即ち法律が連邦憲法一〇〇条一項を看過し、あるいは誤解した結果、裁判所が審査権の限界を超えて係属する訴訟手続において、問題の規定を無効とし、当然に適用しないとする場合に該当するのである。抽象的な規範統制は関係者の申立によって開始されるのであるが、いわゆる客観的な手続きであって、申立の相手方は存在せず、またその関係者も存在せず、争訟手続ではない。この手続は一般的利益のためにのみ有効であって、客観的な法律状態を明らかにするためのものである。この点で規範統制の手続が憲法訴訟、即ち憲法機関相互において常に自己の権限を侵害されたことを争うものとは、異なる。連憲裁法七六条は法律についての一般的規範統制を右の申立の限度に限るとする意味がある。連邦法と連邦憲法の矛盾についての審判は、立法手続における紛争であり、連邦参議院に提出してその議決を経ることを見落した立法の瑕疵とか、連邦法が連邦憲法の基本原則に反するとか、連邦憲法に一致しないことについて憲法裁判所が確信を得た場合に、その判決において無効を確定する等である。また同じ法律のその余の規定につき、同一の理由によって基本権侵害が判明したときは、その他の規定についても無効を宣言することができる。連憲裁法七八条の規定はこのように解すべきである。

1　基本権の失効（Verwirkung von Grundrechten）
（連憲裁法三六条―四一条）

ワイマールの基本権は立法者を拘束しなかったが、ボン憲法の場合は憲法改正法律によっても基本権に拘束され（連邦憲法一条）、また基本権の本質的内容は侵すことができない（連邦憲法一九条二項）。ドイツ人の告白する不可譲不可侵の人権は、すべて人類社会の基礎であり、また世界の平和と正義の基礎でもある（連邦憲法一条二項）。基本的人権には人格の自由な発展を尊重する積極的な基本権と、財産権の侵害をさせない消極的な権利とがあり、この自由権と財産権は将来において経済的・社会的・政治的または精神的な状況が変化することにより、従来規定化されなかった新しい権利が承認され、また従来の権利が廃止されることがある。自然的な人権にはある種の限界が内在し、すべての基本権は人の集団、世界の平和および正義の本質的な基礎として形成される。したがって共同体、平和、正義に対する戦いにおいてこれらの権利が乱用され、正当であり上級の基本的な権利の限界を破る場合には、これらの権利も基本権の憲法保障によって、防禦されまた弁明することはできない。これが基本権の失効といわれる場合であって、それは基本権の実質が失効するのでなく、権利の憲法上の特別な保障が失効するのである。国家は国民の自然の基本権の存在と秩序について、個人の側の基本権の乱用により脅かされまたは害される場合にその有無および程度を決定することができる。個人の基本権は部分的に多様に保障される。同じ内容の異なった基本権が二重の憲法保障を受ける場合には、単一の基本権とみることができる。けれども連邦憲法一八条で自由にして民主的基本秩序の戦いに対して乱用される基本権とあるのは、その範囲が明確でないが、この規定は自由にして民主的な基本秩序の解釈を憲法裁判所に委ねたものと解される。憲法一八条にあるすべての基本権の規定についてではなく、また憲法の概念よりも狭く解される。一八条は憲法の基本原則に対する闘争に限るのであって、これに属するものは不可侵かつ不可譲な基本権の承認、権力分立の原則、殊に裁判所の独立を議会に対して保障すること、公の秩序の形成に主体的に関与する国民の権利、特に自由・平等・秘密選挙と法治国の原則、このほかに一政党のみではなく、複数政党の自由な発展と議会および公の生活において、自由な政治活動等を政府に対し保障するものである。殊に困難な問題は、この基本秩序に対する危険を具体的に確定することであって、この場合の基本秩序に対する闘争には、批判、表現、議論等とこれらの行動を伴うほか、これら基本秩序を変更しまたは除去することを含む。なお乱用とは故意による基本秩序の反対闘争である。

この基本権の失効の請求は、連邦議会、連邦政府または州の政府によって申立てられなければならない。けれども申立ての要件が備わっているか否かは、法律問題であるから憲法裁判所の審査権に属する。憲法裁判所の判決は申立の相手方の如何なる基本権が失効するかを確定する。その失効は一年以上の期間を定めなければならない(連憲裁法三九条一項)。また裁判所は基本権の失効の期間中は選挙権、被選挙権および公務を担当する能力を停止し、法人の解散を命ずることができる等であって、この場合には憲法一八条に列挙するすべての基本権の失効をもたらすものではない。失効される基本権については、その理由を明らかにする必要がある。特に新聞の報道の自由および教授の自由は何れも思想表現の自由の一部に属するが、基本権として単独に失効せしめられる。言論のほか、放送、映画、または文書によって思想を表現することも注目される。憲法五条三項による教育の自由もまた失効の対象となる。したがって特定の基本権による活動を失効せしめることが多い。また憲法九条三項の連合の自由の権利が注目される。例えば政党の政治的連合も対象となる。財産権についても、政治資金の使用について基本権の失効を認めることができる。これらの特に認めた基本権の制限を失効させるのであって、基本権の範囲を限定する必要がある。例えば法律による行政の原則の失効により、法律なくして行政上の規制を許すものではない。したがって基本権の失効は、特別権力関係に認められることが多い。さらに失効の裁判によって特に裁判の示す制限の種類と期間が示されなければならず(同三九条一項)、例えば公の政治集会において、継続して数年に亘り発言を制限することは許されない。このように民主制の敵に対しても、法治国原理が適用されるのである。基本権の失効は請求の相手方の行動の直接の法律上の効果を停止または奪うものであって、その裁判は宣言的な確認裁判である。けれども失効の期間は少なくとも一年を下ることはできない(連憲裁法三九条一項)。失効の判決による選挙権その他の公権停止は選挙法の場合と同様であって、憲法一八条の特別な効果ではない。

2 政党の禁止 (Parteiverbot) (連憲裁法四三条—四七条)

政党とは国民の政治生活の基本的な現象として政党法に先立ち正確には定義できないものである。政党は社会学的・政治的な地位をもつ。共通の政治的な見解によって統一された集団であり、国の政治的な意思形成に影響を与え、共通の政治的な綱領に基づき選挙に参加し、議員の候補者を立てることに特色がある。その初期には地方の政治に関するもので、国会における代表の獲得には主たる目的がなかったが、やがてはその綱領と目的によって拘束され、これらも外部の勢力によって統制されることになる。したがって綱領のないゲリラは政党ではない。

政治的な結社の中で政党は特権をもっている（憲法九条）。その目的と行動が刑法に違反し、または憲法秩序もしくは国民の良識に反する場合は法律により禁止されることがあるが、一般の警察が政治団体を実力によって規制することができても、政党の場合はその存在と活動が行政権の侵害から保障され、憲法違反として憲法裁判所の手続が確定するまでは規制されない特権がある（連邦憲法二一条）。政党の憲法違反は、その目的または党員の行動が、自由かつ民主的な基本秩序の侵害または除去に着手する場合に生ずる。この政党に対する規制は、綱領、声明、演説その他の宣伝手段によって目的が設定されることがあるが、内部の組織から目的が明らかにされなければならない。政党に不利な要件の確認は現実の目的によって証明することを要するが、党員のみならず、背後の例えば資金を出す者、参加者等によって、自由民主的な基本秩序を侵害することの立証が必要である。政党の禁止の問題は、その構成要件が政党の目的について不確定概念のことがある。またその党員の行動が違憲の行為を始めること、自由かつ民主的な基本秩序を侵害すること、連邦の領土を侵す虞れがあること等の不確定概念が極めて多く、裁判所の審査の限界である。しかもそれは憲法の明文に規定されるから、法律問題であって、単純な裁量問題ではなく、裁判所の審査権の範囲に属する。民主性の強度および自由の価値についての信念は現在の国家の基本価値であって、これを適用する裁判所の任務も重大である。政党禁止の申立は政党の違憲性に関するもので、連邦議会、連邦参議院および連邦政府によって行われる（連憲裁法四三条）。この申立は政治的な決断であり、連邦議会は投票の単純多数によって議決をし、議長によって執行される。一州内部の政党に対しては州政府が申立をすることができるが、他の州に党員が属する場合には連邦の事件となる。与党についてもこの禁止が適用され、また政党が互に独立にその禁止の申立をすることがあり、この場合に政党は当然に違憲とされるものではない。政党の代表者は法律的に審問を受ける権利を有するから、申立ての相手方が正当に代表されることを要し、その代表者を定める必要がある。法人として代表者が定まらない場合は党の規則により明らかにし、それがない場合には政党禁止の手続において党の代表者を決めることを要する（連憲裁法四四条二項）。代表者は辞職または罷免されることがあり、また虚偽の代表者が決定されることもあるから、このような政党禁止の手続の妨害を十分に防ぐ必要がある。政党の代表者は特定の期間内に意見発表の機会を与えられ、申立が不適法または十分な理由がない場合には却下または棄却の決議がなされる(連憲裁法四五条)。申立が理由ある場合は、憲法裁判所の判決によって政党の違憲性を確定しなければならない。但し法律的または組織的に独立する政党の部分には、この確定の効力が生じない。違憲性の確認によって政党の全部または一部につき解散の効果が生じ、またその代替組織を作ることが禁止される。このほかこの場合には、政党の全部または独立な部分について財産の没収を言渡すことができる(連憲裁法四六条)。政党の禁止につき矛盾する二つの申立があるときは、政党は違憲ではない。政党の違憲性の確定判決は有権的な宣言に過ぎないが、憲法二一条二項のみならず政党の違憲性によって、以後は当然に警察その他行政権によって規制できるから、この意味では形成的な効果をもつ。憲法二一条の政党の特権は、解散の裁判によって消滅する。

3 大統領の訴追

(Präsidentenanklage) (連邦憲法六一条、連憲裁法四九条—五七条)

大統領の訴追は、大統領の連邦憲法もしくは他の連邦法律の故意の侵害を理由として連憲裁に提訴される。この申立は、連邦参議院で投票の四分の一以上の投票、または連邦議会議員の四分の一以上の議員によって提出しなければならない(連邦憲法六一条)。この制度は、ヨーロッパの伝統的な大臣訴訟によるものではなく、連邦首相には認められない。僅かに連邦裁判官についてこの大統領の訴追が準用されるに過ぎない。連邦政府において、現在の大統領の職務権限は比較的に制限されているが、最高憲法機関として議会に対し、法律的にも政治的にも責任がないからである。したがって故意の違反は耳目を聳動させる不正の行為であって、いわば非党派的な大統領の地位に反するものに過ぎない。処罰の理由ではなく、懲戒にも当らない。法律的に審判に当るが、特にこの点の意識が必要であり、実際には錯誤が予想され、大統領の弁明を聞く必要がある。一院の議決によって作成された訴状は議長から一ヶ月以内に連憲裁に提出され、その予審を経て、判決により大統領の罷免が言渡される(連憲裁法四九条以下)。大統領の故意の憲法違反は必ずしも自由民主的な基本秩序に対することを要せず、その主張と、客観的に基本権の侵害があれば足りる。

4　裁判官の訴追 (Richteranklage)（連憲裁法五八条—六二条）

司法権の独立は、法律および法に裁判官が絶対にかつ全面的に従うことによって保障される。裁判官訴追の要件は、裁判官が憲法の基本原則に反する場合であり、それは憲法一八条によれば自由民主的な基本秩序、または憲法の精神に反する場合といってよい。それは裁判官の職務外の行為を含むのであって、必ずしも自ら行った裁判によって基本権を侵害することを要しない。しかし職務外の行為といっても真面目な意思の表示であることを要する。裁判官の訴追事由は州の裁判官にも及び、憲法裁判所の裁判官にも適用される。

連邦議会が連邦裁判官に対して憲法九八条二項により訴追の申立をする場合には、大統領の訴追に対する連憲裁法四九条乃至五五条の規定が準用される。訴状は連邦憲法または他の連邦法の違反を理由として、大統領に対し連憲裁に訴状を出すことによって提起される。国会の一院の議決に基づいて(連邦憲法六一条一項)、議長は訴状を作成し、これを一ヶ月以内に連憲裁に送付する。訴状には訴追の提起された行為または不行為、証拠、侵害された憲法および法律の規定が記載される。このうちには起訴が連邦議会の法定の多数、または連邦参議院の投票の多数によって議決されたことの確認を含まなければならない。起訴はその根拠となった事情が起訴権のある団体に明らかに知られたときから三ヶ月以内に提出することができる。手続の開始および遂行は、裁判官が退職した後も妨げられない。起訴は連邦議会、参議院が議決に基づき撤回することができる。訴追の代表者または大統領が申立てたときは、予審を行わなければならない。予審の実行は連憲裁の第一部の裁判官に任される。連憲裁は口頭弁論によって裁判する。連邦裁判官が職務上の違反について訴えられたときは、連邦議会は確定判決による裁判手続の終了前、または予めその違憲の事犯に対して正式の懲戒罰手続が開始するときは、この手続の開始前に結論を決めてはならない。裁判手続の終了後六ヶ月を経過した場合には、最早訴追することはできない。これらの場合を除き起訴は、違憲の事犯から二年を経過したときは許されない。連憲裁は憲法九八条二項によってとられる措置を判決し、または無罪とする。連憲裁が罷免の判決をしたときは、判決の告知によって判事の職を失う。違憲の事犯によって他の職務に転職され、または停職されたときは、裁判官の罷免の権限のある機関が執行にあたる。連憲裁の手続が係属中は、同一の事実について懲罰裁判所に係属中の手続は停止される。連憲裁が罷免もしくは他の職務に転職を命じ、または停職を判決した場合には、その懲戒手続は停止される。その他の場合は引続き手続を行う。裁判官の基本権の失効、政党禁止、大統領の訴追は、共に戦う民主主義の自己防衛の意思の現れである。大統領の訴追は実際には稀であり、その制度は裁判官の訴追の制度を準用している。裁判官は司法権独立の原則に違反できないのであって、憲法一八条の基本権喪失と同じように自由民主的な基本秩序に反する場合である。ただ大統領の訴追と異なり、自由民主的な基本秩序に違反することに故意を要せず、客観的に違反の事実があれば足りる。裁判官訴追の申立は、国会において総会の単純多数で足りるのである。

5　選挙審査（Wahlprüfung）（連憲裁法四八条）

選挙審査は連邦憲法四一条一項により連邦議会が行う。この権限は異議申立によって選挙審査委員会に付議し、口頭弁論によって行う。選挙の有効、無効、または当選議員の資格の有無を決定する。この異議の申立は院内政党および連邦内務大臣の権限であり、この裁判に対しては、連邦議会が単純な多数によって決定する。各議員に対する当選の効力についての手続は、連邦議会議長の申立により開始され、一〇〇人以上の議員によって議員の資格について裁判する。連邦議会は三分の二以上の多数によってその議員を即時議会の活動から排除することができる。この資格審査に対する連憲裁による異議の審査は、選挙の効力または議会における議員資格の喪失に関するものであって、異議申立を行った選挙権者(これに少なくとも一〇〇人以上の選挙人が参加することができる)、法定議員数の十分の一以上の院内政党、または議会の少数者は、議会の決議から一ヶ月以内に連憲裁に異議申立をすることができる(連憲裁法四八条)。選挙審査はすべての選挙争訟に当然許されるものではなく、選挙手続について個別的に争われた事件に関して審査の請求があったときに行われる。それは議会の審査委員会において審議され、本会議において決定されるものであり、形式上は裁判でない。それが議員の地位を失う虞れがあるときは、連憲裁に異議の申立をすることができるが(連邦憲法四一条)、憲法裁判所は選挙法の憲法適合性を審査するに止まって、その理由があるときにも議会の議決を取消すに過ぎず、選挙または異議が適法であり理由があるときにも、議会の議決を取消すに止って(連憲裁法四八条)、選挙または当選の効力についてては議会に一任される。このように選挙権について憲法の基本原則に反する場合にも基本権の喪失の手続がとられない。選挙争訟が単に有権者の権利を保護するためではなく、広く国政上の利益を図る客観的利益を保護するものだからである。いわゆる憲法異議の請求は、公権力によって自己の基本権を侵害されたと主張する者が、連憲裁法九〇条の異議申立をする場合であるが、選挙法に特別な規定があるから、一般の規定によるものとは異なる。

五　規範統制（Normenkontrolle）（連憲裁法七六条―八二条）

1　抽象的規範統制

抽象的な規範統制は、連邦憲法九三条一項二号により連邦法と憲法との間で意見の相違があり、もしくは疑いがあって一致することがあきらかでない場合に、連憲裁の裁判によって定めることである。この抽象的規範統制の申立人が連邦政府、州政府もしくは連邦議会議員の三分の一以上の者に限られることは、連憲裁法七六条によって実定法的に定められるが、この名称は連邦憲法にも、また連憲裁法にも用いられず、もっぱら判例と学説によって公認される。要するに規範統制は一つの規範を上位の規範によって審査するものであり、これが肯定されればその規範は有効であり、矛盾または違反すれば、法律的な効力を失うことである。

抽象的規範統制の手続は申立権者の主張によるものではなく、もっぱら特定の法規が有効か無効かに関する審査で、法の存在するか否かを連憲裁の裁判官によって決定する手続である。連憲裁法七六条による抽象的規範統制（Maunz usw.,

BYGG., a. a. O., Art. 76. S. 1—20）の申立は、連邦政府、州政府、または連邦議会の議員三分の一以上から申立てるのであって、連邦憲法九三条一項一号により申立権者のいずれかが連邦または州の法律を違憲と認めたときは、第一に、連邦憲法その他の連邦法と形式的または実質的に一致しない理由で、連邦法または州法が無効であると考え規範統制を申立てたとき、または第二に、裁判所、行政機関もしくは連邦または州の機関が、連邦憲法その他の連邦法と法律が一致しない理由でこれを適用しないとした後に、有効と認めて規範統制を申立てたときであるが、いずれも適法な申立である（連憲裁法七六条）。この規定は連憲裁法一三条八号によるもので抽象的規範統制を意味するが、問題は右の申立において連邦憲法に適合しないとされた連邦法が無効と認められ、または反対に有効と認められて裁判によりこれが理由ありとされる場合である。もとよりこの裁判は連憲裁が判決するものであって、連憲裁は連邦法を連邦憲法と、また州法を連邦憲法またはその他の連邦法と一致しないと確信するときは、その裁判において無効を宣言し、同様な法律を連邦憲法その他の連邦法と矛盾すると判決した場合は、連憲裁はこれらの法律を同様に無効と宣言することができる（連憲裁法七八条）とあるが、その他の関係で有効な法律として適用される場合は七八条に規定がない。また規範統制によって憲法違反とされた法律が必ずしも当然に無効とはならず、従来の法律の合憲性の審査によれば、全部無効ではなく一部に限って無効のことがあり、また無効となることも違憲の法律の公布のとき以後に限ることがあり、また過去の立法に遡ることがあり、また欧州経済共同体の条約に西独が加入する場合は、憲法違反の部分が効力を失う手続をとらず、ただ違憲の確認に止まる場合が少なくなかった。要するに連邦憲法七八条の無効には場合によって種々の異なる効果が認められており、法文とは必ずしも一致しない（Maunz, Schmidt-Bleibtreu, Klein, Ulsamer, Bundesverfassungsgerichtsgesetz, § 78, S. 8—19)。なお規範統制の申立権者が法律を連邦憲法に違反していると判断する場合には、連邦法が連邦憲法等に違反している場合として直接連憲裁に無効を主張することができるが、これは法律が連邦憲法一〇〇条一項を看過し、あるいは誤解したために、裁判所の審査権の限界を越えて係属する訴訟手続において問題の規定を無効とする場合に該当するとみるが、規範統制の手続が憲法機関相互の憲法訴訟によって常に自己の権限を侵害されたことによる措置、正確にいえば立法手続およびその立法行為によって立法の権限が侵されたことによる場合を含む。この点で憲法訴訟と規範統制が一致しないこともある。連邦法が連邦憲法と矛盾することは主として立法手続における問題であるが、連邦参議院に提出してその議決を経ることを見落して、直接連邦議会の立法の審議において参議院に付議しない規定が規範統制の問題になる場合があり、その他連邦法が連邦憲法の基本原則に反する場合もあり、このような憲法違反について確信を得た場合には、連憲裁の判決において無効を確定するものとする。また同じ法律のその余の規定につき、同一の理由によって連邦憲法に違反することが判明したときは、連憲裁はその他の規定を同様に無効と宣言することができる。

2　具体的規範統制

具体的規範統制は、規範の効力の問題が裁判手続において示され、連憲裁の中間手続に導かれるものである。すべて判決する裁判官は、係属する手続の範囲内で具体的事件の裁判に関係のある効力をもつ法規範が、有効であるか否かを先決問題として審査する。これによって法律が憲法違反とされた場合には、連邦憲法一〇〇条一項により手続を停止し、連憲裁の裁判を求めなければならない。連憲裁の裁判は、具体的な争訟によって初めて開始されるものであって、規範の効力の問題について一般的な拘束力をもつが、第一には具体的事件の裁判に役立つ。審査の結果は当該事件の裁判の理由の中で示される。

抽象的規範統制は、具体的な契機によって係属した手続とは無関係に規範の審査が行われる。憲法裁判の手続は、このため特に授権された、何らかの理由で規範の効力について疑いを抱く憲法機関によって開始され、本質上権利とは関係ない憲法擁護の客観的手続である。そこには効力を審査される規範と、憲法の擁護者としての連憲裁の職務があり、連邦憲法は形式的にも実質的にも連邦もしくは州の法規によって侵害されることはない。この手続も、規範統制の中立によって始まる。けれども事件の申立は手続の開始で尽きており、中立機関は、連憲裁の手続において、統制の衝撃を与えるに過ぎない。その後の手続は申立人の行為から何らの制限を受けないで、公益の見地から進められる。もっぱら権利および法律の見解とは独立な問題であって、特定の法規が有効か無効かの問題であり、これを裁判官が裁判によって宣言するから、関係人は誰もいない。そこには訴訟的に申立人はいるけれども、請求権者はないし、申立の相手方も存在しない。

基本権の保障と民主制とは、前者が超実証的な自然法の実質的価値に基づくのに対し、後者は国会を中心とする政治の機能的価値の実現であって、これを総合することは容易でない。けれども西ドイツでは連憲裁に超実証的な価値を認め、その裁判官の権威によって、連憲裁法七八条、九五条等においては、その確信をもって判断した裁判に誤りのない確定力を認めるのであるが、この結論に対しては問題の余地がある。また連憲裁法の規定においても、抽象的規範統制の七六条は論理学の教科書のような異例の法文であって、それが右の原則を示すことについては必ずしも容易に理解できず、殊に七八条は抽象的な規範統制の裁判において、もっぱら上位規範に適合しない場合を予想し、適合する場合の規定をあたかも解釈に委ねているのは、法文の実際において一面のみを規定する不備が感ぜられ、むしろ具体的規範統制についての裁判の規定を入れることが自然であろう。けれども現行の連憲裁法は、連邦憲法九三条および一〇〇条とともに憲法の論理性を明確にし、わが国のように一般的効力を認めない違憲審査または統治行為等の不明確な問題の余地がなく、このような相対主義の克服に決断力を示していることは、現代の危機に対して勇気ある解決のように感ずる。

連邦憲法一〇〇条は、裁判所に特定の法律について連憲裁に提訴する権利と義務があるものとするが、これは形式的および実質的な規範統制の権限を連憲裁に保障するものである。連憲裁法一三条一一号は、その八〇条・八二条とともに、すべての裁判所が裁判に重要な法律を上位の規範と一致しないと考えたときは、手続を停止して連憲裁の裁判を求めなければならないとした。この連邦憲法一〇〇条は包括的な規範審査権を認めたもので、これにより具体的規範統制（Maunz usw., a. a. O., Art. 80, S. 1—206）は憲法裁判所の中間手続であり、具体的な争訟を停止して連憲裁は規範統制の法律的意見を提出できるとする手続である。意見書の要件は提出する裁判所の確信によるものであって、問題の規範が連邦憲法に反し、連憲裁法八二条四項の場合は連邦法に反することの確信あるときである。したがって単純な違憲の疑問は含まれない。また停止された規範が裁判にとって重要なものであることが要件である。

憲法裁判所の中間手続は、訴訟当事者が連憲裁法八二条二項によって参加した憲法機関の意味における当事者に止まる客観的な手続である。具体的な規範統制の対象は、正式の憲法によって制定された連邦法である。また具体的な規範統制は現行憲法を基準とし、これを擁護するものである。

3　抽象的規範統制と具体的規範統制の関係

連憲裁においては機関訴訟と抽象的規範統制とが対等に併立した手続のことがあり、いずれも互に妨げることがないし、制限も受けない。連憲裁法七六条の規範統制とは別に、六三条の機関訴訟が規定されるからである。連邦憲法一〇〇条によって開始される具体的規範統制と七六条による抽象的規範統制の関係も同様であって、同じ憲法規定が正式の規範として、抽象的および具体的規範統制に同時に適用されることがある。いずれも同様に無効の規範を解消し、法の独立と安定をもたらすことに役立つ。連憲裁の審査権には区別がなく、規範の有効性についてはあらゆる見地から審査される（Maunz usw., BVGG, § 76, S. 45)。

4　条約の事後審査（Nachprüfung von Völkerrecht）
（連憲裁法八三条八四条）

連邦憲法一〇〇条二項により、国際法の原則が連邦法の構成要素であること、およびそれが直接に個人の権利義務を形成することについて、連憲裁の裁判で確定すると定めている。また連邦憲法二五条は、国際法の一般原則が連邦法の構成要素であることを認め、それが法律に優先し、また直接にドイツ領内の住民について権利義務を定めるとしている。国際法の一般原則であるか否かは、原裁判所が具体的事件において決定するものであるが、裁判所が連憲裁に提訴する必要(連憲裁法一〇〇条以下)は、国際法を適用するか否かのみでなく、訴訟でこれを適用すべきか疑いある場合である。この疑いは裁判所に訴えることによるのではなく、訴訟当事者がこれを陳述するだけで足りる。この場合に裁判所の手続は当然に停止される。連憲裁は予め連邦議会、連邦参議院および連邦政府に期限を定めて意見を述べさせることを要し、またこれらの憲法機関を手続のすべての部分に参加させる必要がある（連憲裁法八二条）。連憲裁が国際法の一般原則をドイツ国内法と定めたときは、条約は連邦法律に優先することになり、条約の審査を連憲裁に集中させる利益が特に大きい。この場合の連憲裁の訴訟は、国際法規範が憲法に反するか否かを問題にするものではない。また国際法において法律が有効であるか否かについては、連憲裁の判断に拘束力がない。例えば少数民族が議会に代表権を有するとする国際法は、連邦法の構成要素ではないとされ、また外国の職務領事が、外交的な委任を受けないで処理した場合にも治外法権が認められるとすることは、連邦法の構成要素とされる。したがって後の場合には、この特権を認められる職務領事が第三者に加えた損害につき、ドイツの裁判所から責任を問われないことになる。

条約については、連憲裁法一三条一二号により、国際法の原則がその内容により直接に個人の権利義務を生ずるのに適しない場合であっても、国家ならびにその機関に向けられ、国際法の原則としてドイツ国内法の効力が認められることがある。すなわち連邦憲法五九条によって条約に同意を与える法律（Zustimmungsgesetz）は、国会を通過することにより、ドイツ法として変形されることである。これによって連憲裁法一三条一三号により、殊に連邦憲法の規範と一致することに疑いがある場合であっても、国際法の一般原則として連邦憲法の規範に優位することが問題になる場合であっても、譲渡できない法原則に属しないものに対して連邦憲法に対する優位が承認されることである（Hans Lechner, Bundesverfassungsgerichtsgesetz, 3. Aufl., S. 149）。

連憲裁が連邦法を連邦憲法と、また州法と連邦憲法またはその他の連邦法と一致しないと確信するときは、その裁判において無効を確定し、同様の法律を連邦憲法その他の連邦法と矛盾するとした場合には、連憲裁はこれらの法律を同様に無効と宣言することができる（連憲裁法七八条）とあるが、無効を確信することは意味が複雑であり、無効もまた法律全体の場合と、その一部について無効と認める場合とがあり、また法律制定の当初から無効の場合と（宣言的意味）、将来に向かって効力を失う場合（形成的意味）の区別があり、問題の法律を即時に全部無効とするものではないことが多い。例えばヨーロッパ経済共同体に西ドイツが参加する場合の如きものであって、複雑な条約の規定の一部について、また過去にさかのぼって効力を失うとはいえない。むしろこれらの国際協定の憲法違反には、その違憲性が認められても、効力については西ドイツが特別な決定をしないことが多く、この連憲裁法七八条の規定は極めて難解である。連憲裁法三一条二項の無効の規定も、単純に効力を失う意味にはとられていない（Maunz usw., BVGG. § 78, S. 8—19)。

六　憲法異議の申立（Verfassungsbeschwerde）

（連憲裁法九〇条―九六条）

連邦憲法には最初この種の規定がなかった。憲法制定会議においても議論があったが、それは遂に否決された。連憲裁法は連邦憲法九三条二項に基づいてその権限を追加したのである。けれども連邦参議院はこの制度を著しく制限して本来の基本権訴訟の採用を提案し、立法権による基本権の侵害に対してのみ提起することを認めた。つまり行政権と裁判所による基本権の侵害に対しては通常の訴訟によるべきものとし、ただ立法権による侵害の場合にのみ、この制度を採用したのである。

憲法異議の申立については賛否両論があるが、反対の意見は要するに基本権の侵害に対する裁判上の保護が十分であって、これ以上にこの制度を認めることは法治国体制の思想の行き過ぎであり、改める必要はない。殊に訴訟狂にとっては徒に裁判所の保護を要求してその負担に堪えなくなるほか、一部の公務員は、憲法上の義務をこの制度によって免れる虞れがあるというのである。これに対して憲法異議の申立を弁護する側の意見は、第一に、基本権はすべての自由主義的な憲法の核心である。その基本権の有力な保障が、市民の自由で同時に民主的な基本秩序の維持にかかっている。故に基本権は他のあらゆる権利に勝って重要であり、それに過保護のような意見は出す余地がない。第二には、一般の裁判所にとって通常、無数の法律問題が提起される場合に、その一つについて特別な裁判所で判決をする、あるいは中央の訴訟物の問題について一つの裁判所が基本権の保護に特別な意味をもつことには問題があるが、これは基本権の保障に極めて重大な意味を与えるもので、殊に多くの裁判所が法律問題に意見を述べる場合に、相互に矛盾する解釈が現れることは避けられない。そこで速やかに、終局的にすべての国家機関に対して拘束力のある裁判をすることは、特別な重要性をもつ。その意味で裁判の集中性が考えられる。一つの裁判所において基本権の侵害に対する訴訟を一括して裁くことと、特別な、しかも専門家によって処理される裁判所に任すことは極めて重大である。第三に、今日は法律意識が大きく動揺している。殊に近代的な行政国家においては、あらゆる生活領域において法秩序が適用され混乱している。このように司法により、また行政によって法律が適用されることに対しては、一般の不信感がある。このような状態において、最高裁判所の裁判で国家機関または裁判所の判決について、基本権の侵害を含まないことを明らかにするような判決ができれば人心も安定するから、重大な価値をもつのである。これによって種々の国家機関あるいは裁判所の権威を強め、また不法が行われないことを関係者に表明することになる。第四に、民主制は市民がその実現のために積極的に責任をもって参加する場合に、活力が与えられる。市民が各自の権利を尊重することは、憲法異議申立の要件であり、個人が、民主制に本質的な自己の自由を国家に対して代表し、防禦し、またその主体となる意識をもつことにより、この制度は民主制に極めて重要な意味をもつことになる。第五に、これに劣らない意義を有するのは、国家機関が基本権の保持について示す努力を補充することであって、それには市民も監視を行う必要がある。自己の利益を防禦することは、経験的には他人の権利を憲法機関、行政庁、あるいは裁判所によって尊重することよりも、遙かに有効である。憲法異議は市民にとり、国家に対して基本権を行使するための特別な補助手段である。第六には、一般的に裁判所の多数の系列は、具体的な場合に十分な裁判上の保護を与えるものではない。立法行為に対しては部分的に裁判所の力が欠けており、また統治行為の取消について行政裁判所は適せず、甚だ疑問がある。すべての権利を何等かの裁判上の手続の対象にすることはできるが、最も重要な基本権の承認とその執行は、一般的な裁判所の特別な手続によることでは足りない。これに対して憲法異議の制度はこの欠陥を解決するものである。しかし憲法異議は一九三一年から翌年に及ぶ政治的な危機に当っては、基本権の十分な保障とならなかった。危機対策の意味でこの制度を考えなければならない。さらにその国民にとって、憲法異議の申立手続がほかの裁判上の手続と比較してより有効であることは、連憲裁の判決が市民を基本権に対する違法な侵害の繰り返しから保護するためである。例えば行政機関の発言の禁止、あるいは集会の禁止等の度重なる基本権侵害の事実も、普通の裁判所であれば一回限りの先例が基本権保護について認められるに過ぎないが、憲法異議にあっては一般的な拘束力をもつから、申立により一回の判決で以後すべての場合に保護されることになる。

1　憲法異議の沿革〔註(一)〕

（Maunz usw., a. a. O., Art. 90—95, S. 1—176）

憲法異議の起源は十九世紀の初めに遡ることができる。今日のドイツの、就中バイエルンの法制史を見るとこのことは重大である。一八一八年のバイエルン憲法二一条によれば、すべての国民は憲法上の権利を侵害されたことによって国会の一院に請願することができ、それはすべて国王に提出されたのであるが、これはただ僅かに行政行為に対してのみ許されたのであり、何等の訴訟上の救済がなかった。ところが一九一九年のバイエルン憲法九三条においては、すべて国民は、法人を含め、訴願の権利を国事裁判所に認められた。すなわち行政庁の行為により自己の公権または私権が害されたとする申立によって国事裁判所で争うことができた。一九四五年にバーデン、ザクセン、ヴュルテンブルグ等の地方国家が憲法異議の手続の展開に大きく貢献した。ただ州の憲法が憲法異議の申立の権利を与える場合は、請願とは明らかに区別されなかった。連邦参議院においても、裁判を拒否されたり妨げられた不服申立を承認していたが、その理由があるときはこの異議によって連邦参議院または関係する州政府に裁判上の救済が与えられた。ワイマール憲法の時代には、この制度はあまり知られていなかった。これはドイツの国事裁判所に対する異議の申立であったが、国事裁判制度が連邦国家相互の争いを調停することに主として志向していたからである。けれどもスイスにおける法の発展は、国民が憲法上の権利を行政行為によって侵害された場合に連邦裁判所に異議の申立をすることができるのであって、国民の異議申立制度に非常に貢献している。同様にオーストリーの憲法裁判所法一四四条もまた、行政行為に対して憲法裁判所に異議申立の権利を認めている。戦後一九四五年にバイエルンは修正の形で古い法律的伝統を復活した。バイエルン憲法一二〇条四項である。このバイエルンの憲法異議および九八条四項の民衆訴訟で法律に対する異議を認めたことにより、バイエルン国事裁判所の判例が展開され、これがドイツの法律の発展に重要な影響を与えた。しかしその影響も連邦憲法および連憲裁の活動が認められるようになり当然弱まったのである。初め連邦憲法に憲法異議の申立を認める規定はなかったが、九三条二項により普通の法律によってこの制度を導入する可能性を開いた。ＳＰＤの草案では憲法異議の申立を広く認めるものであったが、連邦参議院はこれに反対し、基本権の訴訟はもっぱら一般的な法律に対するものとされた。しかし連邦参議院は（民衆訴訟は除き）申立人が公規範によって侵害される場合か、あるいは直接に脅かされる場合に限り、一般的な法規範に対して基本権訴訟を認めることを提案したが、この憲法異議の訴えは、申立人が予め他の裁判手続において、特に通常の行政裁判所、州の行政裁判所における手続において、法規が連邦憲法と矛盾しており、またはその他の州の憲法に矛盾することによって無効であるということを主張することになっていた。この連邦議会の法務委員会においてはその後多くの審議が尽くされて、結論は非常に包括的な憲法異議をすべての種類の公権的な行為に対して認めることになったのである。その公権的行為は権利および義務を定め、特に立法および裁判を含むものであって、そして勿論その場合にこの制度を拡張して、法律に対する無制限な民衆訴訟になることを避けるものであった。一九六九年一月二九日の連邦憲法第一九次改正法により、九三条四号において長い間要求されていた憲法異議の憲法上の定着を図ったものである。これは二〇条四項の規定、つまり抵抗権の規定を間に入れ、拡張したものである。この第四次の連憲裁法の改正、これは一九七〇年の一二月二一日であるが、このとき連邦憲法の補充はさらに連憲裁法一三条の八号Aを追加することにより、そしてこれが新しい二〇条四項を支持し、これに応じて九〇条の新規定ができたのである。憲法異議は、連邦の最高裁判所が、立法権、行政権および司法権に対して個人の憲法的な権利の保護を加えるものである。したがってそれはフリーセンハーンのいったように（Friesenhahn, Begriff und Arten der Rechtsprechung, Festschrift für Thoma, 1950, §21ff.）、行政裁判制度と似ている機能を果たすものである。勿論その憲法異議は基本権のみならず、連憲裁法で列挙した基本権と同等の憲法的な権利を保護するものであり、決して付加的な法律的救済手段ではない。通常裁判所または行政裁判所の事前の予備手続ではないし、また特別な権利保護の手段でもなく、通常裁判所または行政裁判所における手続とは別に、特別な訴訟であり、基本権を訴訟上執行するための権利保護の手段である。連邦憲法と憲法に列挙するこれに準ずる権利を含めてである。また連憲裁は他の審級の事実的な確定に拘束される上告審とは異なるのであって、義務的な裁量で、その審査は基本権の侵害の問題を必要な限り拡張して認めているのである。法的な審査についても同様のことがいえる。しかし本来の意味においてはこの憲法異議は主観的な権利保護にあるのではなく、むしろ客観的な法秩序の内部における作用として考えられるべきものである。連憲裁の作用は当初から憲法異議が圧倒的に多くを占め、次第に殖え続けている。むしろ一時は裁判所の負担超過の主な理由となっていた。憲法異議は連邦憲法九三条Aの規定によって法律的に基本権の保障となり、今では積極的にドイツの近代法治国の本質的な要素ということに承認された。

2　憲法異議申立の要件

まず当事者能力としては、連憲裁法九〇条は「すべての者は」と規定しており、これは自然人は勿論、すべての外国人または無国籍の人に対する一般的な人権、特に連邦憲法一条乃至五条にあるような権利、さらに一〇一条乃至一〇四条に基づく諸権利を含み、原則としてすべてのドイツ人を含むのである。例えば八条、九条、一一条、一二条においては、すべてのドイツ人が入るわけである。法人は憲法異議が認められるのであって、憲法異議によって執行できる基本権あるいはこれに準ずる諸権利が、その本質上法人に適用される限りはすべて含まれるものである。これは一九条三項によるものである。連邦憲法一九条三項の公法人に対する制限として重要なのは、この公法人が公権力の担当者として表われる場合には、基本権の能力がなく、したがってまた憲法異議を申立てることができないとされることである。これは特に国家、すなわち連邦なり州を指す場合であるが、それはその機能を独立の法主体として履行する場合に憲法異議を申立てることができる。しかしその他の公法上の法人については、公法上の法人格を有しても、それが委任または国家の支持によって公権的な職務を行う限りは、憲法異議の申立はできない。それは市町村、特に自治行政の範囲においても同様であって、連憲裁法九一条に規定がある。これによれば課税権は国家的な公権であって、国家が法律の定める範囲において宗教団体に与える場合も公権的な権能である。またどの程度まで国庫的な分野において、特に経済活動の分野で基本権の保護が公法団体に与えられるか、それに伴い連憲裁法九〇条による異議申立の権利が及ぶかということは、議論が分かれている。国の制度が国家から独立している範囲において基本権を防衛することができる例として、特に公立大学の場合は、通常国家が設立するのであるが、学問、教授および研究においては自由独立である場合であるから、特別な権利能力に関わりなく、憲法異議の手続によって基本権を主張できる。政党に憲法異議が認められるかは、連憲裁の判例によれば、憲法生活に参加する権利を追求する法律的補助手段は機関争訟であるから、政党にとっては本質的な制限であり、憲法異議の申立ができる。

労働組合は、連邦憲法九条三項によってその基本権を憲法異議により行使できるとする判決（E 4/96（一〇一））によって認められる。憲法異議は公権力による権利侵害に対し、それが立法、行政、司法の何れの表現であるかを問わず、また連邦の機関か州の機関かを問わず認められる。教会内部の措置は連憲裁法九〇条の意味の公権力ではないから、憲法異議によって取消すことはできない。教会内部の措置であるか、国家から与えられた権能に基づくかは連憲裁が決定する。教会の税務職員の行う租税の決定は、九〇条の意味の公権力の行為であり、憲法異議の申立となる。外国の公権力の行為、例えば占領中の法律は占領軍の指揮下にあるから、憲法異議ができなかった。超国家的な国内法人の公権力、特にヨーロッパ経済共同体の場合には憲法異議はできない。

連邦憲法では基本権侵害が申立の要件になるが、この要件は訴訟的な権利に限らず、また処分取消の訴えの対象になるものでもない。例えば積極的な行為の権利を基本権が含むことは、連邦憲法二条で明らかにされており、したがって権利能力ある者に限って憲法異議が認められるのであって、権利能力のない社団は一般にこの申立ができない。公権力による基本権の侵害の場合に、申立ができるから、権利を侵害する申立の相手方は国家なり政府当局になるが、その機関が判明しないときは憲法訴訟の前提が欠ける場合であって、連憲裁法一三条五号七号八号の手続に準じ、一般的な規範統制の手続に倣ってこの異議申立をすることができる。以上は基本権等の侵害であって、ただ侵害の危険があり、あるいは具体的な威嚇があるに過ぎない場合は、憲法異議の申立の理由とならない。公権力の行使にあって、相手方が自由な自己の決意によって、保障された自由の範囲において活動し意見を発表することを妨げられる場合にも、憲法異議の申立ができる。例えば警察が人を逮捕し、集会に出席することを妨げ、裁判所が文書を提出することを言い渡し、または意見発表の禁止を命ずる等である。また一般的命令でも、基本権の直接の侵害となることがある。例えば警察権が特定の広場または道路に立入ることを禁止し、あるいは特定の事実を新聞に報道することの一般的な命令等については、市民公衆に対して述べられた報道に限ることを要する。間接に市民に対して影響あるに過ぎない政府の内部的な行政命令によって下級の機関に指針を与えることは、基本権の侵害とならない。また法律による基本権の侵犯は、直接市民の自由を制限または排除する場合でなければ、基本権の侵害ではない。例えば直接法律による土地収用、または特定の公の宗教的祭事の禁止の場合にも、また憲法異議の申立ができる。けれども特定の土地収用を行うことを行政機関に命ずる法律は、基本権の危険を招くのみで、法律の執行によって初めて侵害となるから、当然には憲法異議の申立ができない。法律が行政庁に市民の基本権に対する侵害を義務づける場合には、市民を義務づけることが既に侵害であって、基本権に危険を及ぼすものとは異なる。いかなる場合にも、法律に基づき法律の根拠に基づいて基本権は制限されるが、その基本権の本質的内容を侵害してはならない(連邦憲法一九条二項)。その場合に行政行為が法律の根拠を有しないときは、侵害する憲法機関は憲法違反であり、その侵害は無効である。その場合にも基本権は憲法一九条二項によってその本質的内容を侵すものであってはならない。この制限は、超実証的な基本権に内在する限界を実定法上において確認するものに過ぎないから、制限できる基本権は行政行為について法律的根拠を欠いており、法律が憲法一九条二項に一致しないときは無効となるから、結局基本権の侵害であって、憲法異議を申立てることができる。つまり基本権の解釈では憲法の承認した超国家的性質を見失わないことが、憲法裁判所にとって特に重要である。また人民の負担になる行政行為、例えば集会の禁止あるいは差押えが、基本権の侵害であるほか、利益になる行政行為の拒否もまた基本権の侵害となる。例えば許可の拒否は平等の基本権に抵触する。次に公法上の特別権力関係もまた、権力に服従する者に対して基本権侵害が生ずる。それは特別権力関係の性質から、基本権の制限が特別権力関係の実質に適合しない場合、例えば職務上の上司が部下の職員に対し法政策的な問題の意見表明を禁止し、あるいは病院・保護施設に収容されている者の通信を禁止することが理由のない場合等である。統治行為はその特別な性質によって、憲法異議の範囲から除かれることはない。けれどもこの点にはなお問題がある。連憲裁法九三条二項で訴訟が許されない権力行為であっても、基本権の侵害と認められるからである。裁判所の判決は憲法異議を申し立てる再審ではない。正確には連憲裁は、他の裁判所に対して上級の関係を有しないし、憲法異議は上訴審ではない。一般の控訴審と異なり、連憲裁にあっては異議を申立てられた裁判が、再度基本権を侵害することになるかが、唯一の問題点である。その意味で憲法異議は、上級審とは異なる。実際には包括的な独立の評価が連憲裁に必要とされるが、誤った判断が常に基本権の侵害となるのではない。形成判決は直接に基本権を侵害するが、給付判決により物の提出を命じ、あるいは刑事判決の場合には所有権を当然に侵害するものではなく、これらの判決の執行によって初めて自由権の侵害になるから、そこではじめて憲法異議の申立ができる。特に民事の事件では、執行手続の異議は、執行名義に対するのみならず、また実体的な請求が含まれる場合には、これに対しても可能だからである。民事および刑事の場合には、その執行が基本権の侵害を生ずるものであっても、執行は判決の通常考えられる効果と解されるからである。憲法異議の申立が法律的根拠なく強制、制限または義務を課し、これによって異議申立人が自己の自由な決意によって基本権の保障する自由の範囲で処分をし、または行動もしくは活動することを妨げられた場合には、この異議申立の理由がある。刑事事件においては、上級の法規に反したために無効の法律に基づいて有罪の判決が下された場合、憲法異議の申立ができる。この場合には抽象的規範統制の申立と同じ効果がある。民事判決においては、法律の根拠なく物の返還を命じ(憲法一四条一項)、または意見発表の禁止（憲法五条一項）を命ずる判決は、憲法異議の申立ができる場合である。法律の根拠なく団体に加入することを罰する判決は、憲法異議の申立ができる刑事判決の例である。金銭の支払いを命ずる訴えを違法に棄却しまたはこの支払いを罰する判決は、いずれも連邦憲法一四条を侵害する。これに反してある法規の解釈が他の裁判所の解釈と異なる場合でも、平等の基本権に反するものでない。行政行為に対しては、取消の判決が与えられる場合にその行政行為と行政裁判所の取消判決の関係が問題となる。通常は行政行為によって基本権が侵害されるのであって、この場合に行政裁判所の判決が行政行為を確認するに過ぎないときは新たな独立の侵害を含まないから、憲法異議の申立は判決に対してはできない。その結果、取消訴訟は理由なく、異議申立が棄却されるのであって、基本権の侵害にはならない。行政事件の判決に対する憲法異議は、判決によって初めて基本権が侵害された場合に限る。刑事手続の開始の決定は、刑事手続が理由なく被告人の名誉を毀損するために濫用された場合に、連邦憲法一条一項に反することになって、憲法異議が適法となる。訴訟法上の救助が決定によって拒否された場合にも、平等の基本権を侵害される場合がある。警察機関による虐待のような事実上の行為も、また公権力の行使によるから、憲法異議の申立ができる。法律によって平等の基本権が侵害されることは、特に多くの計画された立法のうちの最初のものは、次の規定が同様な法律事実に基づくものであっても、立法されない理由で当然に基本権の侵害とみることはできない。例えば在職中の公務員の給与引上げを定めて、退官後の公務員の給与の引上げに関する立法がなされない場合は、平等に反しない。立法はこの場合に国会の義務でなく、法的拘束力が存在しないからである。行政機関が行動する義務が存在しないときに、職務を行わなくても基本権の侵害はない。例えば警察機関が示威運動を行った者を逮捕し、行政庁が職業の許可を拒否しないが、法律の許可、または処分の権利を認めるべき場合に拘らず何もしないことは、連邦憲法一二条の職業の選択の基本権を害する。

連憲裁法九〇条二項において、憲法異議の申立をする場合に、訴訟を尽した後でなくても憲法異議の申立ができる場合に、その訴訟とは憲法異議の申立人によって提起することができなければならないからである。したがって予め規範統制の手続が憲法裁判所において解決されなければ、法律に対する憲法異議の申立はできないことになる。上訴権の放棄または上訴期間の徒過は、憲法異議を妨げるものではない。けれども再審手続のように異常な手段は、この訴訟には含まれない。憲法異議には公権力によって侵害された権利、その他異議申立人が侵害されたと考える相手方の機関の作為または不作為を異議の理由に示さなければならない。これは連憲裁法二三条に定める理由づけの強制である。連邦憲法二八条の場合に侵害される権利とされるものは基本権に含まれるのであって、この理由は憲法二八条の地方自治の権利の侵害に対して異議の申立を認める場合だからである。すべて憲法異議は、理由をつけた確定力ある裁判の送達を要し、それも一ヶ月以内に申立てなければならない。

連憲裁の各部に三名の裁判官による委員会を設け、申立が不適法なときは全員一致の決議によって憲法異議の受理を拒否するか、拒否しなかった場合には、連憲裁の各部は憲法異議を受理し、少なくとも二人の裁判官が憲法問題解明の裁判を期待できる場合、あるいは異議申立人が裁判の拒否によって本案につき重大かつ避くべからざる不利益を蒙る場合には、憲法異議を受理する。さらに委員会または部の裁判は口頭弁論なくして行い、理由を付することを要しない。憲法異議の受理が拒否されたことによって、決議は異議申立人に対し、委員会またはその部の長の指示によって、異議申立拒否についての決定的な法的見地を通知するものとする(連憲裁法九三条A)。これによれば異議申立は必ずしも申立人の権利の救済を主眼とするものでなく、むしろこの制度は客観的な憲法違反の状態を除去することを目的としたものと思われる。憲法異議の申立は連憲裁法九〇条の規定によって、自己の基本権が侵害されたことを要件としているから、この点ではむしろ司法権の作用に近いように見える。けれどもこの憲法異議申立は民衆訴訟と区別しているほかに、この憲法異議の制度が訴訟の道を尽した後に初めて許される補完的な手段であること、また同時に基本権またはこれに準ずる権利の侵害について常に全面的な再審査を求めた後であることを要せず、むしろ公権力の行使が特に憲法違反であるという点にしぼられていることで、客観的な憲法の保障であり、必ずしも異議申立人の権利を擁護するための制度でないことが明らかである。

憲法異議の制度が原則として訴訟手段を尽くした後に初めて許されることに対しては、それが一般的な意味を有する場合、あるいは異議申立人が、直ちに訴訟の提起がないとき重大な避くべからざる不利益を受ける場合には、即時その訴訟に対して裁判をすべきであると規定される(連憲裁法九〇条)。憲法異議が法律に対しまたはその他の公権的な行為であって訴訟が許されていないものに対する場合には、法律の施行または公権的行為を行った後に一年内を限って提起することができる(連憲裁法九三条)。憲法異議の申立が認容されたときは裁判において、いずれの憲法の規定がいずれの行為または不行為によって侵害されたかを確定しなければならない。連憲裁は、同時に異議を申立てられた措置の反覆がすべて連邦憲法を侵すことを宣言できる。裁判に対する憲法異議の申立が認められたときは、連憲裁は裁判を取消し、連憲裁法九〇条二項前段の場合には、事案を権限裁判所に差戻すものとする。憲法異議が法律に対して認められたときは、法律が無効と宣言される。二項によって憲法異議が認められた場合にも同様とする(連憲裁法九五条)。

a　法律に対する憲法異議

すべての実質的な意味の法律は、形式的たると法規命令たるとを問わず異議が申立てられる。それは連憲裁が反対の制限を定めないからである。公法上の団体の自治条例に対してもまた異議申立ができる。行政規則は対外的な効力ある規範でないからできない。法律に対する憲法異議は、この法律を執行するための命令に対する憲法異議と結合するならば、個々の基本権侵害の程度と範囲が明瞭であり、直接に異議申立人について申立ができる。国際条約の同意の法律に対しても、また異議申立ができる。条約の国際法的な審査は、条約が国際的な関係で効力があることに拘らずこの申立ができる。条約法の内容については異議申立ができない。どんな内容の法律であっても憲法異議ができるが、規範を新しく公示するのみの場合には立法行為でないから、異議申立ができない。立法者の不作為に対しては異議申立ができない。立法者が明らかに立法行為を行う基本権的な義務を実行しないとき、または一部を履行するとき、これによって基本権は平等の原則に反することになるから、異議申立ができる。

実質的法律に対する憲法異議は、実質的法律の瑕疵、即ち基本権の規程またはこれに準ずる権利と権利の内容が一致しない欠陥に対する異議でなければならない。立法者の権限と立法手続の欠陥に対する異議は、本来憲法異議ではなく、勿論係属する憲法異議の手続において異議申立人が、法律が他の憲法的理由によって無効であるとする非難を、職権によって行使するとみなされる他の理由によって無効とすることはできるが、連憲裁の審査権は憲法異議の適法性であって、憲法異議により主張することは憲法二条一項の憲法的秩序に属さないから、その基本権を侵害されたとすることは主張できない。行政行為とその裁判に対する憲法異議は、申立てられた基本権侵害が法律の基本権に反する適用、または基本権違反の法律の適用についても成立する。基本権違反と関係しない憲法異議は除かれる。連憲裁は、一般裁判所の判決によって何らかの特別な権利が侵害されたとする異議申立人の判決の事後審査を行う一般的裁判所註(一)ではない。手続の形成、構成要件の評価、証拠調べの評価等は、一般的な権限のある裁判所の事後審査であって、連憲裁の審査はできない。ただ特殊な憲法裁判による侵害が憲法異議によって扱われ、しかも基本権に関する瑕疵でなければならないが、連憲裁は上告裁判所ではない。異議申立人の主張する誤った規範の解釈は、憲法違反の意味を有しなければならない。異議申立人は裁判所の判決に対して、適用されるべき法規の客観的な価値秩序[註(二)(四)]である基本権秩序の効果を、誤解しているとする異議を述べることができる。この裁判によって、通常の法律の適用のうちで規範的な包摂の過程が、連憲裁の法律の事後審査から除かれる。異議を申立てられた判決の基礎になっている法律の解釈が、法律と一致しないということを主張することによって、基本権との一般的な関係を作り出すことは必ずしも困難でない。対応する法律的な基本権制限については、法律の解釈が不足している。連憲裁の法律解釈の基準のとり方によって、同じ法律が合憲にも違憲にもなり得る場合に審査を行うことは、超越的審査[註(三)]として非難される。例えば伝統的な自由権、すなわち集会・結社の自由、居住移転の自由に対する基本権侵害がそれである。同じく超越的審査の危険は、連邦憲法二条二項、一〇四条によって合憲違憲を判断する場合にも大きい。それは屢々裁判の判決、自由刑の判決に向けられ、これに対して憲法異議は、民事判決の財産法的な憲法一四条の場合に見受けられる。

特に行政裁判所の判決に対しては、憲法三条に基づく超越的審査になる危険が大きい。これはすべての法生活に認められる。連憲裁は平等の原則を恣意の禁止と意味づけ、これによって裁量の濫用の概念に近づいた。他方において平等以外の実質的理由から、異議申立を却下することを容易にしている。問題の意味は、平等の原則の憲法的裁判が夥しいことによる。これは大部分が立法者に対する異議に関している。

憲法異議が、組織によって構成員の利益を守るために提出されることは、原則として許されない。例えば政党がその党員または一般国民の基本権の保持について異議を述べることは、党員等の基本権侵害が憲法異議申立のうちで自己の名で主張されない場合、たとえその職務が政党の規則に含まれていても、憲法異議を申立てることはできない。いわゆる民衆訴訟が法律に対して提起することができないのと同じである。規範の単純な反射的利益は、憲法異議を申立てる場合に自己の利益を害されたとする条件に反する。例えば租税控除の可能性が、政党の献金について異議の理由となるかどうかは問題であるが、連憲裁はこの場合は、問題の規範の意味目的が反射的効果ではないとしている。また公権力による行為が他人に向けられた場合にも例外として異議が認められる。税法が他人に利益を与える場合に、その利益から除かれた人は異議を述べることができる。これによって競業能力を受益者から侵害された場合等がこれである。

法律に対する憲法異議は、一定の判決によって連憲裁で争われた法律により、自己の基本権を侵害されたとする異議申立人が、現在かつ直接に侵害を受けたことを要する。連憲裁法九三条二項により、除斥期間を定める法律に対して直接に異議を申立てることは許されない。申立人は期間の経過によつて初めて自己が直接に法律によって侵害されたことを知るからである。異議申立人は基本権侵害を受けた法律により、裁判所に対する訴えを却下されることになるから、この場合は侵害した法律が有効であるか否かを問わない。異議申立人は、基本権が現在かつ直接に法律によって侵された場合、その執行行為に訴訟を尽した後に、憲法異議を申立てることができる。

註㈠　行政行為および裁判所の裁判に対する憲法異議は、適用されるべき法律が憲法違反の場合と、法律の適用が違憲の場合とがあり、例えば憲法三条の平等に反する適用の場合等であるが、それによって基本権違反を主張する方法に二種類ある。そのうち、基本権侵害に直接関係する憲法違反が重要であって、適用が違憲となることがある場合は判決に対し憲法異議を申立てることができないことを、連憲裁が判決の事後審査に関する一般的な裁判所でないというのである（Lechner, Bundesverfassungsgerichtsgesetz, S. 359）。

註㈡　裁判に対して憲法異議の申立をすることができるのは、適用さるべき法律規範の客観的な価値秩序としての基本権秩序の影響を誤解しないことが必要であって、これが憲法異議を申立てることができる場合か否かを決定する（Lechner, BVGG., S. 359）。

註㈢　このような憲法異議を申立てる場合を超越した審査権の危険ということがあるが、これは法律の規定の適用が直接基本権侵害にあたる場合である。伝統的な自由権、例えば集会の自由、結社の自由、居住移転の自由等には比較的少ない。これらの場合には初めから争点が憲法の問題について制限されているからである。この超越的な審査権の危険は、法律の規定が当然に憲法に反するのではなく、ただ適用の仕方によって基本権侵害となる場合をいう。基本権適用の効果に関する審査の危険は、連邦憲法二条二項および一〇四条（逮捕）から生ずる憲法異議の場合に著しく、これらは屢々自由刑の裁判の判決に発展し易い。またこのほかに基本権適用の効果に対する憲法異議の例は、憲法一四条の民事判決に対する財産権の保障に多い(Lechner, BVGG., S. 360)。

註(四)　このような行政裁判所の判決に対する超越審査（Superrevision）の虞れは、憲法三条の平等の原則からも生ずる。超越審査が問題になるのは、判決で非難する法律が基本権侵害の場合であって、法律の適用が基本権侵害に問われる場合ではない。平等の原則の違反は、あらゆる法律生活から生ずるものである。連憲裁はこの誤りに陥らないために、平等の原則を恣意の禁止（Willkurverbot）の意味に解し、これによって裁量権の濫用の法理に近付いている。これは法律に対する憲法異議の申立の場合であって、行政裁判所の平等の原則に関する裁判の大部分がこれに当る

（Lechner, BVGG, S. 358）

b　行政行為に対する憲法異議

行政行為に対する異議申立には、行政機関が第三者に対して公権的関係において対立することが重要である。対等な関係の行政行為は、異議申立ができない。これによって強制権を行使する場合（侵害行政）のみならず、福祉の領域においての行動（給付行政）にもまた異議申立ができる。包括的な基本権の保護の原則から、司法が及ばない行政行為は、異議の申立には該当しない。したがっていわゆる特別権力関係の場合の制限に関しては、原則として異議申立ができない。

c　裁判に対する憲法異議

憲法異議の申立条件に適合するのは終審としての裁判に限られる。裁判に対する憲法異議は、裁判所の判決自体に向けられたものに限るのであって、執行行為自体は、執行機関が執行により新たな基本権侵害を加えたと主張する場合に限る。

連憲裁の判決によれば、前審における連憲裁法九三条Aによる決定もまた異議で争うことができない。憲法異議によって争われる異議申立は、裁判の主文に関する場合でなければならない。基本権に反すると考えられる法律解釈が裁判の理由のうちに示される場合は、裁判に対する異議申立ができない。理由不備により無罪の刑事判決があったときは、連邦憲法一条または二条によって異議を申立てることができる。裁判官の裁判の不作為に対しては異議申立ができるが、執行行為に対しては、異議のある基本権違反が執行手続自体にあるときに限って、申立が適法である。憲法異議は公権力によるすべての苦情を主張することでなく、また憲法上の権利の侵害のすべてを指すものでもなく、基本権と基本権に準ずる憲法上の権利の侵害の場合を特に争うものである。ここで基本権とあるのは、憲法一条乃至一七条のみでなく、古典的な意味における自由権でないものが含まれる。これらの基本権と基本権に準ずる権利は、制度的保障を含むのみでなく、個人の権利を保障する限りにおいて異議申立ができる。例えば憲法三三条五項の規定(伝統的な官僚制度の基本権)はそれであり、三八条および三三条(BVGE, 6-445)に関する規定もそれである。連邦憲法五条三項前段の芸術と国家の関係を規定する原則は、同時に個人の自由権を保障するものである。連邦憲法二五条の規定により、連邦法の形式および適用に当って、国際法的組織に加盟しない国際法に義務として定められていることは、間接に憲法的秩序に属するものと認められる（BVGE 18/441[451]）。

d　憲法異議で争われる基本権その他の権利の侵害

憲法九〇条は憲法異議の申立を、基本権のほか、憲法で列挙するその他の権利についてのみ認めるものとしてその拡大を防いでいるが、果たして連憲裁の判例でどの程度に憲法異議が認められるかを述べてみたい。

連邦憲法一条。おそらく圧倒的な多数の意見は、一条一項の現実的な基本権の性質を否定する。三条に至って決定的な現実化の規範が考えられる。憲法一条はすべての基本権の規定を支配する重要な憲法原理に属し、自由な人間の人格の規定と、その最高の法価値としての尊厳を認めるものとしている。

憲法二条。二条一項の規定は、一般的に人の行動の自由を保障する。殊に一項の基本権の内容的な射程距離は、連憲裁の原則的な裁判によれば広い。即ち一項による人格の自由な発展の権利は、一般的な行動の自由とこれを制限する憲法的秩序として、すべての憲法的法秩序を指し、行動の自由の侵害に対する憲法異議は、基本権の侵害はないが、憲法の内容と沿革によって人民の負担となる法律に向けられた憲法上の異議申立が成立する場合がある。この解釈の手続法的な意味は、今後個人が公権力の侵害によってその行動の自由につき、明らかに連憲裁法九〇条のその他の権利の侵害に対して異議を述べることができるにある。この法律はすべての租税法および刑罰法にとって重要であり、これらの負担を課する法律の多くの場合を含む。憲法二条一項は経済的交渉の自由を保護し、二条一項の援用によって自由の表現形式が特別な自由の中に包摂されないかを審査できる。いいかえれば特別な基本権が侵害されたとき、その適用範囲から二条一項が除かれるかどうかを審査するのである。かくて四条もしくは一二条一項が二条一項の特別法であり、これらの関係者として援用できるかが審査される。二条一項の範囲において立法権の欠缺が非難を免れるかである。基本権に関係はないが憲法二一条は、刑罰規定または刑事裁判の決定についてその侵害に異議を申し立てることができるかの問題がある。法律的に無効の規範に基づく有罪の判決または解釈の限界を無視することが二条一項に反するかどうかである。また立法者が憲法八〇条一項を侵害し、または命令権者が立法者の与える授権を越えたか、これらが負担を課する法として二条一項にとり憲法異議を申し立てることができるかである。重要なことは、これらの原則はただ負担を課する公権力の措置の場合に限って個人の行動の自由を制限する効力があるかである。生命に関する権利、身体を害されない自由が、何れも憲法二条二項の保障に従うかどうかである。

憲法三条。憲法三条も憲法裁判において主役を演ずる。憲法異議の大多数は三条一項の侵害によって争われる。三条一項は公権力を恣意に行使することを禁止する。それが侵害される場合は、次のようなものである。理性的に事物の性質によって差別されず、または平等の取扱に対する実質的に明らかな理由が見出されない場合である。平等は恣意の禁止で、実質と異なる考慮を禁止することである。

恣意の禁止としての平等原則の意味は、今日広く承認されている。それが禁止するところは、特により合目的的であり、より正義的であり、また平等の取扱の要求により適合する規制について、主観的な見地からの自由な探究で始まり、立法または行政の裁量決定を踏み越えることを禁止する虞れがある結果となる。したがって憂うべき問題は、連憲裁が個々の場合における特別な差別を歴史的なものと考え、それを実情にかなったもの、または確信的な理由により行われたものとして扱うことである。本質的に同じものを同じでないものと考え、また本質的に同じでないものを恣意的に同じものと考えた三条一項の解釈は、重大な誤りである。差別の禁止は一般的に平等の原則と共に、共同社会の法の基本原則である。三条一項の範囲において、個々の基本権的には憲法異議によって争うことのできない請求が、形式的かつ実質的な立法権の行動に対して申し立てられた。平等の見地から絶対的にも相対的にも不作為すなわち立法権の不行為が憲法異議の対象となる虞れがある。この場合には、付加的な適法要件として立法権を義務づける具体的な憲法異議が必要とされる。それは連憲裁の判決によれば、三条一項の場合ではなく、おそらく六条五項の場合または三三条五項の場合である。一般的な兵役の義務は一般的な平等の思想の表われであり、同じことは選挙の平等にもあてはまり、また政党の選挙における機会均等の原則、ラジオ・テレビの放送時間の割当ての平等にも言える。問題になるのは第三者の平等に反する特定階層の利益が反射的に不利益となり、権利を害することによって三条一項の憲法異議の理由となるからである。異議申立人の申立を承認するには、このような場合において憲法一九条四項の規定が不利益をこうむる人に三条一項により受ける利益を取り除くことを承認しなければならないかが疑問である。このことは第三者が一般に利益を与えることが平等に反することになり、他人に利益を与える処分を訴訟によって取消すことができなければならないという矛盾である。このような結果を三条一項から引出すことはできない。民衆訴訟となるから、立法者の望まない憲法異議の拡大になる。その結果は取消の期限が無意味になってしまうだろう。第三者の範囲は予測できないことになるからである。

憲法四条。兵役拒否者が良心の理由による場合は、一二条Aの二項が四条三項に伴って適用され、兵役の義務が免除される。四条三項の基本権の重点は、兵役の拒否者が軍事行為において他人を殺さなければならないとする強制から保護されることにある。

婚姻、家族、私生児の六条。この規定は、婚姻と家族の特殊な私的生活の保護についての古典的な基本権を含む。六条一項から、国が婚姻と家族に侵害を加えて妨害し、かつ損害を加えることに対して、憲法異議により追求できる防衛権を引出すことができるかが問題となる。また六条三項は、子と家族を引き離すことに対する防止権を与える。六条五項は肉体的精神的発達と社会における地位の形成についても、私生児に平等な条件を具体的に立法権に委任することを含むもので、立法権の不作為に対しては憲法異議を申し立てることができる。

憲法一一条居住移転の自由。出国の自由は一一条によって保障されないが、二条一項の一般的な行動の自由から派生する原理として、憲法秩序の中で保護される。居住移転の自由は、すべてのドイツ人に東ドイツにおいても東ベルリンにおいても認められる。外国人の居住移転は二条一項の規定に含まれる。けれどもドイツ人を国内において強制収容する法律は、憲法違反ではない。

憲法一二条、営業の自由、職業選択の自由。この基本権は既に二条一項の保障する人格の自由な発展に関する権利を、より広範囲で特別に表現するものと解される。それは職業的な活動に関する規定の特別な基準として問題になる。また職業の選択は、自由な人間の人格の行為として人格価値、殊に個人の経済的な自主決定行為として、公権力の侵害からできる限り干渉されないことを要する。また選んで就職した職業を、その生活の基礎とすることができなくするような税金の構造と額は、職業選択の自由に違反する虞れがある。

憲法一三条、住居を侵されない自由。一三条一項の住居は広義に解されて、労働、営業、事業の場所を含むものである。したがって本条二項の侵害および制限は、一方において私的居住の場所のみならず、労働、営業および事業の場所もまたそれぞれの異なる保護に対応できなければならない。

憲法一四条、財産権と相続権。収用は公共の福祉のためにのみ許され、また法律または法律に基づいてのみ認められる。整備されて行使される営業活動は、一四条の意味における財産権である。一四条は特定の個別的に限界づけられた財産権を保護するのであって、単純な財産上の利益、期待、または利益獲得の機会を保護するものではない。連憲裁の解釈によれば一四条の違反が考えられるのは、金銭支払義務が関係者に極端に負担となり、その財産関係を根本的に侵害する場合に問題となる。要件は金銭支払義務を課することが憲法的に保護された財産の侵害になることである。ドイツの在外資産の価値を条約によって評価する限り条約承認法が問題であり、条約自体は憲法一四条の関係で憲法異議によって非難されない。憲法一四条はドイツの国家機関の措置にのみ関係があり、保障請求権の基礎になっている。保障についての緊張関係は、国民の自由と財産保護の必要と、公益の必要に対応することとの間で考えられるが、それはドイツの公権力の主体に存在する緊張関係である。戦争および戦争の結果の損害は憲法一四条の問題ではない。効果的な裁判上の保護は、公正な交渉によって保障されなければならない。

憲法一五条。本条は憲法で社会化を委任するのではなく、立法権に対して授権を含むのみである。それは将来の社会化を困難ならしめることを取りやめる命令を含むものではない。だから立法権によって私有化を再現するような社会化は、憲法異議によって実行することができない。

憲法一六条、国籍。ドイツ人である国籍保持者はドイツ連邦国民であるのみならず、すべてのドイツ人は西ドイツの保護、特にその裁判所の保護を求める権利を有する。ドイツ人は引渡しの禁止と政治的迫害者の庇護権を有する。即時の追放の執行は、特別な公益の必要ある場合に限る。

憲法一九条。本条は形式的関係における基本権の保障に役立つ。そこでは四項ができる限り欠陥のない有効な裁判上の保護、特に憲法異議によって実行できるドイツの公権力の侵害に対する裁判上の保護を保障する。外国人に対してもこのことは適用される。但し裁判上の審級順序はこの限りでない。

憲法二〇条四項。本項は緊急避難権を、ドイツ連邦の国家秩序のために基本的な脅威に際して抵抗権として認め、これを基本権と同様に解する（連憲裁法九〇条）。西ドイツ連邦は民主国であり、その憲法は国民によって自由民主的な秩序が期待され、この秩序に対する基本権の乱用を認めない。

憲法三三条。憲法異議の申立は連憲裁法九〇条によって、憲法三三条が他の基本権と同様に個人的な権利を保障する限りにおいて、効力がある。けれどもこれによってすべての既得権に憲法異議が考えられるのではない。三三条五項は公務員の権利の保護ではなく、明らかに職業的官僚制度の維持を公共の利益のために認めたのである。公務員の俸給は三三条五項の保障範囲から除外されない。公務員は憲法異議の申立によって適切な生活維持の権利を主張できる。

憲法異議の申立を認めた連憲裁の裁判は、権力分立の原則によって、ただ立法者が特定の法律の規定を設けないことによって異議申立人である国民の権利を侵害したことを確定し、異議申立を認める。適切な生活扶助は、まず法律によって定めることが必要であり、法律が不十分の場合は異議申立ができることになる。給与の引上げをストライキをもって認めさせることはできない。

3　憲法異議に対する裁判（連憲裁法九五条）

判事委員会による前審手続　writ of certiorari は、英米法の手続であるけれども、連憲裁判事の委員会の制度はこれを模範としている(連憲裁法九三条A)。判事委員会は三人の判事をもって構成し、憲法異議の申立の予備審査を行う権限は、裁判の申立を受理することに始まる。それは申立が憲法異議の形式的な要件を欠いて不適法である場合、または他の理由で憲法異議が認められる十分な展望が欠けている場合に、委員会が全員一致で異議申立を拒否する。この異議申立の受理を拒否する裁判の効果としては第一に異議申立人に対する既判力がどの程度に認められるか、第二には委員会自身もしくは憲法裁判所の各部が判決に拘束される程度、第三にはこの受理拒否の決定が他の裁判所を拘束し、連憲裁法三一条の一般的拘束力が認められるかである。第一の既判力は、形式的に取消し得ない効力であり、第二に不受理の決定は、委員会によって変更し、または取消し得ないことであり、第三に委員会の法律解釈については一般的拘束力がないことである。次に九三条Aの四項による連憲裁各部の受理である。これは連憲裁各部の受理の拒否であって、その理由は憲法上の問題の解明が期待されない場合か、または裁判の遅延によって重大かつ避くべからざる不利を申立人に及ぼす場合である。受理の理由が存在しないことの表決は、九三条Aの四項によれば部においては、反対投票の一票で足り、その他は受理する結果となる。

連憲裁法九五条一項。憲法異議が認められたときは、裁判によって基本権のいかなる規定が、そしてまたいかなる行為と不行為によって基本権が侵害されたかを確定する。連憲裁は同時に、異議を申立てた措置のすべてを繰り返すことは連邦憲法に反することを宣言することができる。

九五条二項。憲法異議が裁判に対して認められた場合には、行政行為および裁判に対して違法性を確定するほかに、裁判の取消を必要とする。連憲裁はこの場合に、基本権侵害に基づく公権的な行為であるかどうかを審理しなければならない。連憲裁法九〇条二項前段の場合に、裁判所は本案を実質的権限ある管轄裁判所に新たな裁判をするため移送することを指示する。移送によって異議申立人はその訴訟法によって帰属する権利救済手段を奪われることはない。九〇条二項後段の場合には差戻しができない。

九五条三項。憲法異議の申立が法律に対して認められた場合には、法律の無効を宣言しなければならない。法律の無効宣言が遡及しないことは、その他の規範統制の裁判と同じである。異議の申立が二項の規定によって認められた場合には、取消された裁判は憲法違反の法律に基づくから、二項と同様のことが認められる。七九条の規定がこの場合準用される。この規定は申立が容れられた判決の裁判の内容の規定に過ぎない。けれども裁判の構成の問題は、原告の請求が通らなかった判決にも生ずる。連憲裁法三一条二項二段三段および連憲裁法一三条八号Aの裁判では、法律と連邦憲法が一致することが宣言され、法律の効力を与えられ、連邦の法律録において判決の公布が規定されているから、判決の主文において対応する確定力が承認される。

第一項はすべての公権力に対する異議が認められた判決について、違憲性の明瞭な確定を規定する。七九条一項の新しい規定では、今後は場合によって、争われた規範の解釈は憲法違反であることを主文において確定する必要があるとしている。これによって行政訴訟と異なり(行政裁判法一一三条参照)、裁判の理由においで行う確定を主文において行うべきだとする意見がある。この規定によって憲法異議の作用には客観的な意味において対応することができることになろう。即ち裁判は客観的な憲法を明瞭にし、意味を示すことに役立つはずである。憲法異議における立法権の不作為に対して、独立な意味が一項の確定に認められる。それは立法権が連憲裁法によってその裁量の範囲について積極的に特定の行動を義務づけられるものではなく、また連憲裁がその地位において代執行を行うことができることを義務づけられるものでもないから、憲法異議を認める判決は、立法権の不作為に対して、第一項による憲法異議の宣言をすることを含むに止まる(Vgl. Lechner, a. a. O., S. 394)。

た　行

は　行

ら　行

事項索引

あ　行

か　行

さ　行

〈著者略歴〉
昭和 五年 三月 東京帝国大学法学部卒業
昭和一三年 三月 東京商科大学助教授
昭和一七年 八月 東京商科大学教授
昭和二六年 四月 一橋大学法学部教授
昭和三六年一一月 東京大学より法学博士の学位を授与される。
昭和三八年 四月 一橋大学法学部長
昭和四五年 三月 定年により一橋大学を退職
〃 四月 一橋大学名誉教授
昭和四九年 四月 亜細亜大学教授

〈主要著書〉
法律による行政（昭一七・有斐閣）
自由権・自治権および自然法（昭二一・有斐閣）
警察法（法律学全集12）（昭三三・有斐閣）
憲法撮要（昭三八・有信堂）
憲法の基本原則（昭五一・有信堂）
憲法入門（昭五二・青林書院新社）
日本国憲法原論（昭五五・青林書院新社）
公法学研究（昭五七・良書普及会）
警察法（新版）（法律学全集12）（昭五八・有斐閣）
行政法要説（昭五九・有斐閣）

西ドイツの憲法裁判

昭和六二年二月二〇日 初版第一刷発行

著者 田上穣治
180 武蔵野市西久保一―一―九
電話 〇四二二（五一）四三五二

発行者 松木正造
113 東京都文京区本郷六―二―九―二〇七
電話 東京 〇三（八一五）六〇三〇

制作 発行 有斐閣出版サービス株式会社

印刷／勝美印刷 製本／高陽堂

西ドイツの憲法裁判（オンデマンド版）
〈有斐閣出版サービス刊〉

2013年4月15日　発行

著　者　田上　穣治
発行者　江草　貞治
発行所　株式会社 有斐閣
〒101-0051　東京都千代田区神田神保町2-17
TEL　03(3264)1314(編集)　03(3265)6811(営業)
URL　http://www.yuhikaku.co.jp/

印刷・製本　株式会社 デジタルパブリッシングサービス
URL　http://www.d-pub.co.jp/

AG718

ISBN4-641-91210-6　Printed in Japan